CRWYDRO LLŶN

AC

EIFIONYDD

1. Yr Afon Glaslyn.

CRWYDRO LLŶN

AC

EIFIONYDD

GRUFFUDD · PARRY

LLYFRAU'R DRYW
LLANDYBIE, SIR GAERFYRDDIN

Argraffiad Cyntaf: Tachwedd, 1960

Argraffwyd gan
JONES A'I FAB, CROWN PRINTERS, TREFORUS, ABERTAWE

Rhwymwyd gan
GEO. TREMEWAN A'I FAB, ABERTAWE

Cyhoeddwyd gan
LLYFRAU'R DRYW, LLANDYBÏE SIR GAERFYRDDIN

I
KIT

Dymuna'r Cyhoeddwyr gydnabod yn ddiolchgar iawn y cynhorthwy a roddwyd gan Gyngor Sir Gaernarfon tuag at gyhoeddi'r gyfrol hon.

RHAGAIR

Mae llawer iawn o bobl wedi cynorthwyo i ddwyn y gyfrol hon i ben, ond y mae diolch arbennig yn ddyledus i rai ohonynt am eu gwasanaeth caredig a'u cymorth parod.

Cafwyd caniatâd i ddyfynnu o'u gweithiau, gan Syr Thomas Parry-Williams, trwy garedigrwydd Gwasg Aberystwyth; gan Cynan, trwy garedigrwydd Gwasg y Brython; gan y Parch. William Jones, y Parch. G. J. Roberts, Mr. William Rowlands, Mr. Gwilym R. Jones, Mr. Harri Gwynn a Mr. Charles Jones. Cafwyd caniatâd caredig hefyd i ddyfynnu o waith R. W. Parry, a T. Rowland Hughes, gan Wasg Gee, ac o waith J. Glyn Davies gan ei briod.

Bu Mr. Emyr Pritchard, athro Cymraeg Ysgol Botwnnog yn darllen y llawysgrif a thacluso llawer arni.

I Miss Mair Eluned Evans, athrawes Daearyddiaeth Ysgol Botwnnog, y mae'r diolch am y map i gynorthwyo'r darllenydd i gadw pethau o fewn eu terfynau daearyddol priodol pan fydd niwl y crwydro yn cau amdano.

Cynorthwyodd Miss Dorothy Evans, Botwnnog, i ddarllen y proflenni, a thrwy garedigrwydd ac amynedd Mr. R. J. Jones, Nefyn, Mr. Arfon Hughes, Dolgellau, a Mr. Emyr Pritchard y daeth y darluniau i drefn. Bu Mr. Ioan Mai Evans a Mr. Jonah Jones, Porthmadog, yn barod eu cymwynas hefyd.

Amynedd Mr. Emlyn Evans a drethwyd yn fwyaf arbennig yn ystod y paratoi, ond parhaodd yn ddi-ildio i'r diwedd, a rhaid ymddiheuro iddo am lawer o flerwch ac oedi.

Nid yw'r gyfrol yn agos i fod yn deilwng o Lŷn ac Eifionydd, ond nid ar ei llu cymwynaswyr y mae dim o'r bai am hynny. Maddeued y craff ei gwendidau trwy ddod i geisio drosto'i hun beth o'r rhin sydd rhwng yr Eifl ac Enlli.

CYNNWYS

DARLUNIAU

DARLUNIAU—Parhad.

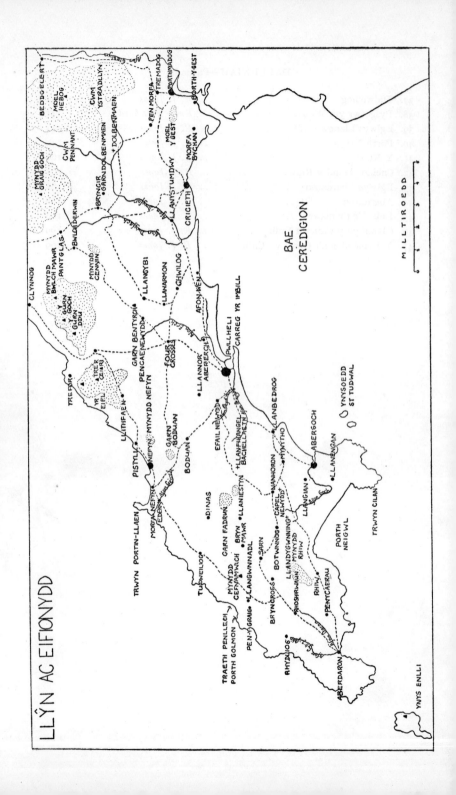

Y Ffordd i Lŷn·

Mae llawer crwydro ar Lŷn ac Eifionydd. Mae crwydro o glydwch ystafell ar hirnos gaeaf pan fydd rhuthr plyciog gwynt y dwyrain o Borth Neigwl yn ysgytio'r ffenestri a chwibanu yn nrws y ffrynt. Gwlad o fannau unigol arbennig ydyw gwlad y crwydro hwn, heb lawer o ddim yn cysylltu'r mannau hynny â'i gilydd ond rhyw esmwythyd melfedaidd sidanaidd. Gall y wlad hon fynd a dod mewn amser hefyd, ac weithiau ein cyndadau fydd yn byw ynddi, a thro arall ein heiddilwch ni fydd yn ei phoblogi, ac ambell dro, bodau niwlog lliwgar y dyfodol fydd ei phobl. Bydd tywod aur y traethau ym mis Gorffennaf o'i chwmpas ambell funud, ac ar funud arall, lluwch yr ewyn ar greigiau oerion dyddiau byrion dechrau Rhagfyr. Ac os yw yn hen ffasiwn ac yn wenwynig ramantaidd erbyn heddiw, mae'n ddiddorol iawn yr un fath.

Wedyn, mae'r crwydro hwnnw mewn gwlad sydd ar gof a chadw mewn cywydd ac englyn rhwng cloriau llyfrau a llawysgrifau; dyheadau'r saint ar eu ffordd i ddiogelwch ysbrydol yn Ynys Enlli, difyrrwch a difrifwch beirdd, eu diddanwch a'u dagrau. Ac wedyn, dyna'r wlad honno sydd yn byw mewn hanes, lle bu Brythoniaid barfog beiddgar yn codi eu gwrychyn o gytiau Gwyddelod y llethrau ar y neb oedd yn debygol o geisio newid eu ffordd o fyw. Y wlad lle y methodd March Amheirchion â chadw ei glustiau anifeilaidd yn gyfrinach o dan ei wallt, a'r wlad lle y bu llygad tywysog yn edrych allan trwy dwll y clo mewn drws eglwys ar bethau sydd erbyn heddiw wedi eu mudo i'w priod gartrefi yn uffern a'r isymwybod. Mae llawer crwydro arall nad oes raid ei ddilyn wrth lwc, a hynny am fod yn aros Lŷn ac Eifionydd arall.

Nid dychymyg bardd na breuddwydion breuddwydiwr ydyw honno, ond gwlad o bridd a cherrig, creigiau a chlai. Darn o ddaear Cymru ydyw yn estyn ei big i fôr Iwerddon rhwng bae

Caernarfon a bae Ceredigion, patrwm o ffurfiau mynyddoedd ar awyr y bore, a chynllun o ddoldir a gwastadedd ar liwiau'r machlud. Ffurfiodd ran o fywyd cenedlaethau o bobl, ac y mae bywyd y cenedlaethau hynny yn rhan ohoni hithau erbyn hyn.

Byddai Llŷn yn ddirgelwch mawr wrth edrych i'w chyfeiriad oddi ar lethrau mynyddoedd Eryri ers talwm. Ei phellter oedd dirgelwch mwyaf Sir Fôn, oblegid yr oedd yn y golwg oddi ar ochr y mynydd bron i gyd, o Gaergybi i Landdwyn ac o Fynydd Parys i gyffiniau Pentraeth, ac yr oedd ambell sbenglas yn y pentref wedi diddymu'r dirgelwch hwnnw trwy 'dynnu tai Brynsiencyn mor agos nes y b'asech chi yn gweld tyllau pan fydd 'no rai yn sodlau 'sana'r merched wrth iddyn nhw olchi carreg y drws'. Ond yr oedd dirgelwch y pethau nas gwelir o gwmpas Llŷn ac Eifionydd.

Oddi ar ochr ddeheuol mynydd y Cilgwyn, uwch ben a thu draw i nadroedd tomennydd rwbel y chwareli llechi, gellir gweled cynffon cadernid Eryri yn suddo i'r môr lle derfydd mynyddoedd yr Eifl yn Nhrefor. Pan fyddai'r haul yn boeth yn yr haf, a byrwellt y mynydd yn crinsian dan draed, ac aroglau gwair mân caeau'r tyddynnod yn llond yr awyr, gellid gweld, yn nhawch y pellteroedd, rimyn o fôr yn rhywle trwy'r bwlch rhwng Cwm Silyn a'r Eifl. "Dyna i ti Fae Ceredigion, 'y ngwas i, y tu draw i Eifionydd a Chricieth ffordd 'na," fyddai'r eglurhad. A byddai braich laslwyd o dir hefyd i'w gweld ar orwel y môr mawr yn ymestyn ymhellach na thrwyn Trefor ei hun. "Portinllaen 'y ngwas i, y tu draw i Nefyn ffordd 'na". A dyna'r cwbl a welid o'r wlad oedd y tu hwnt i'r mynyddoedd.

Yr oedd digon o brofion o'i bodolaeth serch hynny. Yr oedd y trên a fyddai'n pasio drwy waelod y plwyf, trwy Goed y Glyn a stesion y Groeslon, yn dod o Lŷn, ac yr oedd yr hen bobl yn cofio mynd i Ffair Gaeaf i brynu potiau ymenyn wedi eu dwyn yno i'w gwerthu o Lŷn. Ac ar wahân i bopeth arall, yn Llŷn neu yn Sir Fôn yr oedd gwreiddiau y rhan fwyaf ohonom ni bobl y llethrau. Y tad, efallai, wedi blino ar wasgfa bywyd caled gwas fferm ac wedi dod i weithio yn y chwarel a bod yn un o'r 'how gets', a gwisgo siwt nefi blw gyda'r nos, hances sidan goch am ei wddf, cap ar ochr ei ben, a sgidiau melyn a gwich amlwg

2. Sgwâr Tremadog.

3. Harbwr Porthmadog.

4. Borth-y-gest.

5. Eglwys Treflys a Moel-y-gest.

ynddynt am ei draed. Neu y fam, hwyrach, yn un o griw mawr
o enethod gartref, yn cael cyfle ar amgenach byd wrth ddod i
weini i un o dai mwg main Dyffryn Nantlle. Anaml y ceid pot
ar gorn hen simdde fawr y tai ffermydd, ac efallai mai dyna
darddiad y 'tŷ mwg main' am dŷ heb dir i'w ganlyn. Pa un
bynnag am hynny, fe fu cael bod yn gyd-berchennog tŷ mwg
main yn freuddwyd llawer merch ifanc a oedd wedi dod i weini
i'r 'dyffryn diwydiannol' ac i godi yn fore yn nhŷ'r Stiward i
weithio o olau i olau, a phan soniai rhyw chwarelwr golygus am
godi tŷ ar ddarn o dir tyddyn ei dad, ychydig iawn o waith
perswadio a fyddai ar y ferch ifanc honno i fynd yn ôl i Lŷn a bod
yn un o ddau ryw ddiwrnod yn sefyll wrth allor eglwys ei
phlwyf a gwrid y cydsynio ar ei gruddiau. Wedyn yn ôl i'r
mynyddoedd yn wraig ifanc a gwylio'r tŷ newydd yn mynd i
fyny garreg ar garreg nes bod pedwar o botiau cyrn cochion yn
disgleirio yn orffenedig ar bob pen iddo, a gwerth dau gant o
bunnau o dŷ yn eiddo i'r chwarelwr ifanc a'i wraig. Fesul tipyn
y dodrefnid y tŷ. Y gegin i ddechrau a'r gegin ffrynt wedyn, a
chyn bo hir fe geid defnydd i'r parlwr gwag yn lle i'r plant
chwarae. Ac yn sŵn eu crio a'u chwerthin hwynt, yr oedd teulu
bach newydd sbon yn dechrau tyfu i fyny ar lethrau'r mynydd-
oedd, a'i wreiddiau yn mynd yn ôl i ddaear y penrhyn a oedd o'r
golwg y tu ôl i fynyddoedd yr Eifl. 'Doedd o ryfedd yn y byd
y byddai cymaint o fri ar 'fynd i Lŷn' yn ystod gwyliau haf
blynyddoedd ysgol y plant hynny. A 'mynd i Lŷn' y bydd
pawb.

Mae rhywbeth ynysig iawn mewn penrhyn o dir yn ymestyn
i'r môr. Er bod Llŷn wedi ei fachu yn ddaearyddol wrth y tir
mawr, a Sir Fôn yn ynys mewn gwirionedd, eto pasio drwy Sir
Fôn y mae ffordd fawr Caergybi, a Dulyn yn un pen iddi a
Llundain yn y pen arall. Efallai mai tebyg fyddai hanes Llŷn
wedi bod hefyd pe byddai Portinllaen wedi ennill y frwydr am
drafnidiaeth Iwerddon a datblygu yn borthladd pwysig fel y
gwnaeth Caergybi. Ond yr unig bobl a fu ar berwyl trwy'r
penrhyn oedd pererinion yr oesoedd gynt ar eu ffordd i Enlli.
Mae'r ynys yn aros, ond cyrchfan astudwyr adar ydyw erbyn
hyn, a Saeson yw'r rhan fwyaf o'r rheini. Bu amser, mae'n wir,

pan oedd y llongau hwyliau yn cyrraedd y mân borthladdoedd, rhai wedi bod yn costio a rhai wedi bod yn hwylio i wledydd pell, ond aeth eu dyddiau hwythau drosodd ers blynyddoedd. Ac i'r llongwyr tir sych, y mae yn well ganddynt gael pridd y ddaear o dan eu traed na phlanciau'r dec, rhaid dewis rhwng un o dair neu bedair o ffyrdd os am fynd i Lŷn ac Eifionydd.

Byddai ffenestri ystafelloedd dosbarthiadau Ysgol Sir Pen-y-groes ar lawr Dyffryn Nantlle yn wynebu i gyfeiriad pentref Llanllyfni, a phan fyddai gêm ffwtbol yn dibynnu ar ansefydlog-rwydd tywydd y Gwanwyn a dechrau Haf, edrychai un o fechgyn sylwgar y pentref hwnnw drwy'r ffenestr a throi at y gweddill a gwên wybodlyd ar ei wyneb a dweud, "S gynnoch chi ddim gobaith hogia bach, ma' Bwlch Mawr wedi cau'. Ffrwyth ei wybodaeth o arwyddion tywydd lleol oedd y dyfarniad, ond credem y byddai cynllwyn rhyngddo a rhyw bwerau cudd oedd yn gwireddu ei broffwydoliaeth bob tro. 'Does ryfedd yn y byd fod rhywfaint o oerni'r hen niwl hwnnw yn aros o gwmpas Mynydd Bwlch Mawr o hyd. A thrwy ei oerni y mae'n rhaid dod i Lŷn.

Hafn uchel rhwng Mynydd y Graig Goch a Mynydd y Bwlch Mawr ydyw'r agoriad hwn, a thrwyddo y rhed y ffordd fawr o Gaernarfon i Borthmadog, a'r rheilffordd yn ei dilyn, fel dau gariad, weithiau yn glos glos ac weithiau yn pellhau, nes anghyd-weld yn derfynol ym Mryncir a gadael ei gilydd, y ffordd i Borthmadog yn Eifionydd, a'r rheilffordd trwy Afon Wen i Bwllheli yn Llŷn. Aeth stesion Afon Wen yn enwog am ei gallu di-hysbydd i godi'r felancoli ar bobl fyddai'n gorfod aros yno rhwng dau drên, ond collodd lawer o'i henwogrwydd gyda lleihad y teithwyr mewn trên. Mae glan môr creigiog graeanog diddorol yr ochr arall i'r gwrych o'r platfform. Daw ffordd o'r de a'r canolbarth i Borthmadog, ac oddi yno trwy Gricieth i Bwllheli. Ffordd y Gogledd ydyw'r ffordd fawr arall, y 'lon bost isa' heibio i wal Glynllifon, ac fel bwled i Lanaelhaearn lle try cangen ohoni dros ochr llethr Tre'r Ceiri trwy Lithfaen a'r Pistyll i Nefyn, gan osgoi Pwllheli. Dyna'r ffyrdd pwysig, ffyrdd y drafnidiaeth brysur, a'r bobl wylltion yn yr haf, a'r damweiniau mawr. Ond y mae ffordd arall i'r sawl nad oes frys eithriadol arno,

Mae pentref Pantglas yn ddyrnaid bach taclus o dai ar ochr y ffordd wrth groesi'r Bwlch Mawr ar ôl mynd trwy Llanllyfni ar y daith i Borthmadog. Mae'n hawdd iawn pasio'r ffordd fach gul sy'n troi ar y dde gyferbyn â'r tai, ond o'i dilyn am ychydig lathenni daw i'r stesion. Os bydd trên yn agos bydd y llidiard mawr gwyn wedi ei gau ar draws y ffordd yn rhwystr i anifeiliaid a modurwyr grwydro i'w peryglu eu hunain. Ond y mae llidiard bach arall i deithwyr ar draed gael mynd a dod fel y mynnont, ac y mae fel teyrnged i ragoriaeth eu synnwyr a'u gofal. Mae llawer iawn o ramant y ffordd haearn o gwmpas y gorsafoedd bach hyn yma ac acw yng nghefn gwlad, ac y mae'r un gwahaniaeth rhwng mynd i'w harchwilio hwy ac archwilio lle fel Caer ag a fyddai rhwng mwytho llew a mwytho cath.

Gallech gael eglurhad meistraidd ar holl gymhlethdod y lein un trac gan orsaf-feistr Pant Glas; y gloch yn canu mewn rhyw beiriant ungoes a phen mawr ganddo a hynny yn arwydd fod y trên wedi gadael Yr Ynys ac ar ei ffordd i Fryncir, a chyn bo hir y rhyddheid y staff ac y gellid cael agoriadau'r llidiardau'n rhydd a'u defnyddio i ryddhau'r arwyddbyst i roi signal i dderbyn y trên i'r adran oedd dan ofal Pant Glas. Gwybodaeth ddiddorol rywsut, ond yr oedd i Foses Price amgenach swyddogaeth mewn bywyd nag egluro cyfrin bethau mecanyddol y Rheilffyrdd Prydeinig.

Yn gyntaf yr oedd yn rhaid iddo dynnu'r cap pig gloyw a'r got botymau arian oedd amdano fel urddwisg dyn yn medru cadw rheolaeth ar yr anghenfilod haearn a ruthrai yn ysbeidiol heibio drws ffrynt ei dŷ. Daeth yn fod meidrol cyffredin yn ei facintos, a chap stabal am ei ben. Dyma'r dyn yr oeddem wedi dod i chwilio amdano i Bant Glas. Dau brentis o bysgotwyr oeddym wedi dod i eistedd wrth draed y meistr yn ffigurol, ac i sefyll wrth ei sodlau yn llythrennol. Edrychodd ar ein taclau yn feirniadol ac yn garedig, a rhoes hwy o'r neilltu heb godi gwrid i'n hwynebau o gwbl. Bron na chawsom yr argraff eu bod braidd yn rhy dda ar gyfer Pant Glas.

"Dowch i siop Mos hogia bach", meddai, a cherdded o'n blaenau i'r ystafell aros.

Ei 'siop' oedd ei gasgliad o blu pysgota, ac ni fu gair erioed

B

mor addas. Syllem arnynt mor bwyllgor foddhaus â merch mewn siop ddillad. Yr oedd rhywbeth anghydweddol rhwng platfform stesion a genweirio, ond troes y platfform yn dorlan las wrth i'r athro hwnnw ddangos sut i chwipio. Chwiban yr enwair yn torri'r gwynt, sgrech ufudd y ril yn gollwng, a'r plu yn disgyn mor ysgafn ag edafedd gwawn i'r soser de a oedd wedi ei gosod rai llathenni draw oddi wrthym. Dim ond munud cwta fu'r arddangosiad hwn. Rhywbeth fel ysgwyd plu yn y nyth cyn cychwyn hedeg. Yr oedd gwell lle i ollwng prentisiaid.

Mae'r afon Dwyfach yn gul ac yn llonydd i gyfeiriad Pen-y-groes, ac nid yw fawr lletach na ffos wrth edrych arni oddi ar y bont yn is i lawr y ffordd na llidiard yr orsaf. Ond mae pwll bach wrth ymyl y bont, ac ar lan hwnnw y safem ein tri, a fflachiad arddwrn y gorsaf feistr wrth newid staff wedi mynd yn beth carbwl iawn o'i gymharu â'r fflachiad hwn oedd yn gyrru'r bluen i hwylio'r awyr gydag wyneb y dŵr. Gwyliem hi orau gallem, ac yn sydyn fel ymateb pin i fagnet, dyna fflach o arian yn torri'r dŵr yr ochr bellaf i'r pwll. Cyn bod y mân donnau'n dechrau cerdded, yr oedd y bluen yn hofran fel temtasiwn gydag wyneb y dŵr drachefn, ac ni fethodd y tro hwn. Arhosodd y brithyll am eiliad fel pe byddai'n llonydd yn yr awyr cyn disgyn yn daclus ar y gwellt wrth ein traed. Gwaith difyr a gorffwysol, beth bynnag am broffidiol, ydyw dilyn llwybrau glannau'r afonydd. Yr unig ddrwg ynglŷn â hwynt ydyw mai'r môr yw eu pen draw bob tro. Byddai'n resyn boddi ar ddechrau'r daith, ac felly y peth gorau fydd gadael yr afon a'r pysgotwr a dilyn llwybrau'r lôn dar.

Dringa'r ffordd gul, ar ôl croesi'r bont, i fyny llethr syth am ychydig nes cyrraedd gwastadedd uchel rhwng y mynyddoedd. Dyma ardal Bwlchderwin ac Ynys yr Arch. Mae gweithdy saer ar y gornel lle daw'r ffordd o Bant Glas i gyfarfod â'r ffordd fwy o Glynnog a Chapel Uchaf, a phe digwyddai i deithiwr daro i mewn i'r gweithdy wrth basio, yr un aroglau coed, a'r un distawrwydd llwch lli fyddai yno ag a fu mewn pob gweithdy saer erioed. Ond mae'r cynnyrch yn wahanol iawn. Mae un gornel o'r gweithdy heb ei newid, a gŵr mewn tipyn bach o oed yno yn trin coed derw cledion i wneud desg, ac wrth redeg ei law yn

feirniadol dros wyneb un o'i fyrddau, yn sôn am rai o gymer-
iadau'r ardal, ac am englynwyr oedd yn byw o gwmpas. Ond
llenwir gweddill y gweithdy gan drelar tractor mawr a chytiau
ieir yn barod i'r iâr fwyaf beirniadol a manwl fynd yno i ddodwy
heb fedru estyn ei phig at unrhyw fai. Gweithio wrth ei bleser
yr oedd yr hen ŵr, a'r bachgen ifanc o grefftwr oedd wedi llenwi
ei weithdy yn gweithio at ei fyw yn ôl anghenion ffermwyr ei
gyfnod.

Rhag dod yn ôl i'r ffordd fawr ym Mryncir, gwell troi i'r
dde ar ôl pasio'r caban teliffon. Ffordd bach gul, wladaidd ydyw,
ac annisgwyl o dawel a thu hwnt i'r byd. Rhosydd a mawndir
sydd o gwmpas y ffordd, a Mynydd Cennin ar y llaw chwith, a
Mynydd Bwlch Mawr ar y dde. Ond mae'n ffordd braf ar gyda'r
nos ym mis Gorffennaf a'r distawrwydd yn drwch ar bopeth o
gwmpas. Bref ambell ddafad a buwch o'r llethrau y tu draw i'r
gwastadedd. Ffermydd mawr wedi mynd i gysgu yn gynnar
gyda'r nos yn sŵn eu henwau eu hunain. Cors y Wlad, Hengwm,
Mynachdy Gwyn. Mae rhychau dyfnion gwehyddion y Com-
isiwn Coedwigo yn rhedeg gydag ochr y ffordd a'r coed bach
yn dechrau tyfu, ac y mae'r cloddiau o boptu'r ffordd yn glys-
tyrau hir o goed llus. Lle i'w adael ym mis Gorffennaf a'r bysedd
yn glynu a'r gwefusau'n dduon. A chystal lle ag unman i fynd ati
o ddifrif i hel llus a phensynnu.

Mae bocs postio wrth Groeslon Cae'r Gors ychydig ymlaen,
a thynfa gweision o'r ffermydd cyfagos at fan cyfarfod. Un yn
unig oedd yno y noson honno, siaradwr rhugl yn huawdl ar
fethiannau a cholliadau'r tywydd. Yr oedd ei got oel ddu yn
agored ar ysbaid o hindda.

"Fedrwch chi ddim dwad allan heb got," meddai. "Os deil
hi ati fel hyn mi fyddwn ni wedi mynd i galyn dŵr i gyd."

"Ond mae hi'n noson braf heno."

"Braf wrth ben, ond ylwch slwts ydi hi dan draed. Mi a'th
acw Ffordan Bach i lawr at 'i botha gin i y pnawn 'ma."

"Heb gael y gwair yr ydach chi?"

"Mwy na'i hannar o allan. 'Fasa'n well i ni dyfu reis fel ma
nhw'n gneud yn Namor."

Yr oedd cwmni ffilmiau wedi bod ym Meddgelert a Nanmor

yn adeiladu pentref a chaer Goreaidd ar gyfer y ffilm, 'Inn of the Sixth Happiness'. Yr oedd murddun o ryw adeilad concrit diweddar yn ymyl ar y rhostir, ond nid i bwrpas unrhyw ffilm y codwyd hwnnw meddai'r cyfaill.

"Na, ryw hen gwt oedd yma yn amsar y rhyfel oedd o. Petha fel hyn sy'n difetha'r tywydd."

"Yr argian, tybed? Sut hynny?"

"Na, nid y cytia, ond yr hen eroplens 'ma a'r boms. Tasa dynion i fod i hedag, mi fasan yn tyfu adenydd."

Mentrais awgrymu na thyfodd neb o'r hil ddynol olwynion yn lle traed, ond derbyniad oeraidd a gafodd gosodiad mor ffôl.

"Mae gen i feic fy hun," meddai. "Mi fasa'n sobor gynddeiriog arna i hebddo fo yn yr anialwch yma."

"Fyddwch chi'n crwydro llawer?"

"Na fydda i, dim ond i Glynnog ne i Langybi ambell dro. Mae Groeslon Cae'r Gors yma yn ddigon pell. Ond mi faswn yn medru taswn i eisio."

Yr annibyniaeth a rydd dwy olwyn beic i ddyn! Edrychodd yn dursiog ar yr awyr i gyfeiriad y de a dweud,

"Na, wneiff hi ddim byd. Da i ddim." A phwy a'i beiai am besimistiaeth ei ragolygon? Yr oedd ganddo wair ar lawr, a hwnnw 'wedi mynd fel jeli'. Rhan o ddyletswydd ei fyw oedd cadw chwarae teg i'r pridd ac i'r ddaear oedd yn ei ofal. Yr oedd llafn o oleuni haul melyn gwlyb diwedd dydd yn tywynnu i'w wyneb wrth iddo droi'n ôl i groesi'r rhosydd at ei borthiant pydredig a'r Ffordan Bach.

Ar y chwith yr ochr uchaf i'r ffordd, cyfyd Mynydd Cennin yn fryncyn esmwyth ac ambell graig lefn yn torri trwy feddalwch ei groen. Byrwellt mynydd a wna borfa defaid, wedi ei gymysgu gydag eithin mân a grug ydyw tyfiant y llethr, ac y mae enwau ffermydd y mynydd ynghlwm wrth lawer o hen draddodiadau. Llosgid mawn yn rhai o'r tai hyd yn ddiweddar iawn, ac yr oedd un tŷ fferm yno lle nad oedd y tân wedi diffodd o fewn cof neb, ac y dywedid ei fod heb ddiffodd ers dau gan mlynedd.

Gwlad Tylwyth Teg a dewiniaid oedd y wlad hon i bobl Pen-y-groes a Llanllyfni. Yr oedd rhai pobl wedi gweld cannwyll gorff yn symud ar draws y gors i gyfeiriad Bwlchderwin. Golau glas gwan ydoedd i ddechrau, ond wrth iddo symud yn ei flaen, gwelid cysgod crynedig o arch a nifer o bobl yn ei ddilyn â'u pennau i lawr. Fel y gellid disgwyl, bu marwolaeth sydyn yn yr ardal yn ystod y dyddiau hynny. Yr oedd yno hen wraig yn medru witsio hefyd a byddai yn dial ar ei chymdogion trwy ddial ar eu hanifeiliaid. Nid oedd byth yn gwneud pethau drwg iawn iawn chwaith. Dim ond manion fel peri iddynt fynd i'r donnen a cholli pedol neu gael annwyd. Efallai fod gormod o le rhwng y ffermydd i lawer o elyniaeth fagu, ac mai i ddim ond er mwyn bod yn y ffasiwn ryw dro y cafwyd y stori. Yr oedd eu straeon tylwyth teg yn fwy cydnaws â natur yr ardal, er bod tipyn o niwl moderniaeth ar y rheini hefyd. Cylchau dawnsio a sŵn canu anweledig oedd defnydd y straeon. Ceir hwy mewn llawer ardal, ac yr oedd gwastadedd Bwlchderwin a Chors y Wlad yn gefndir ardderchog.

Ymlaen ychydig daw'r ffordd i lawr o'r gwastadedd uchel, a chyn iddi ddechrau troi a throsi yng nghanol cwmwd Eifionydd, mae'n disgyn fesul tro at groesffordd lle gellir dilyn un rhan i Langybi, Llanarmon a Chwilog, a'r llall i Bencaenewydd. Wrth aros cyn cyrraedd y groesffordd ac edrych i'r de, gwelir cip eglur ar Fae Ceredigion ac ynysoedd St. Tudwal y tu allan i Abersoch. Ymestyn y tir tuag atynt yn batrwm diddorol o fân fryniau ac ambell glwstwr o goed. Mae'r pentrefi gan mwyaf o'r golwg yn y pantiau yn cuddio rhag pwysau'r gwynt pan fydd stormydd y gaeaf yn chwipio drostynt. Mae ffordd Pencaenewydd yn croesi'r Afon Wen ar y gwastadedd dros bont Brychyni ac yna yn ôl i dipyn o godiad tir heibio Brychyni i groeslon Pen-sarn. Hen efail gwlad ydyw Pen-sarn wedi magu cenedlaethau o ofaint, ac wedi bod yn rhy gryf a phenderfynol efallai i blygu i'r byd newydd a throi yn lle gwerthu petrol a thrwsio ceir a pheiriannau. Mae ysgerbwd hen wŷdd main ym môn y clawdd wrth ymyl. Bu yn ei ddydd yn magu cyrn ar ddwylo aml was bach a fu'n ei ddilyn yn ddiwyd drwy'r dydd ag un goes yn hwy na'r llall wrth gerdded yn y rhych i 'rwygo'r Gwanwyn pêr o'r pridd' yn naear Eifionydd.

Mae rhywbeth hen-gynefin yn nistawrwydd yr ardaloedd hyn. Mae yno ddigon o hen bethau o ddiddordeb hynafiaethol fel

yr hen gaer Frythonaidd ar ben y Foel rhwng ffermydd
Y Cwm a Thyddyn Mawr, a'r hen olion Celtaidd ar Fynydd
Cennin. Mae achos crefyddol y Methodistiaid Calfinaidd ym
mhentref bach Brynengan yn hen iawn yn ôl cyfrif Method-
istiaeth. Yr oedd yn daith Sabothol gyda Thŷ Mawr yn Llŷn
tua dau gan mlynedd yn ôl. Mae rhai o dai'r ffermydd yn hen,
a'r teuluoedd wedi byw ynddynt am genedlaethau. Ac eto, nid
henaint amgueddfa ydyw henaint neu heneidd-dra y rhan hon
o Eifionydd. Mae'n hen am ei bod wedi cael llonydd gan y
datblygiadau bron i gyd, ac am ei bod yn wag o brysurdeb pobl
yn ymladd i ennill eu bywoliaeth. Yr un fath yr oedd ugain
mlynedd yn ôl, a dau gan mlynedd, ac ers blynddoedd a blyn-
yddoedd cyn hynny. Mae'r gwellt a'r rhedyn, blodau'r grug a
blodau'r eithin yn newydd bob blwyddyn, ond mae ffurfiau'r
mynyddoedd a murmur dŵr yr afonydd yn aros yr un fath. Yn
feddal iawn.

Ar ôl troi cefn ar galedwch aruthredd y mynyddoedd yn
Eryri, mae gwastadeddau bryniog Eifionydd a Llŷn yn edrych
yn ferfaidd a diafael. Nid oes yma'r mawredd sydd yn peri cyn-
nwrf yn y gwaed fel y gwna clogwyni brwnt yr Wyddfa neu'r
Mynyddfawr. Tir daear garedig, esmwyth, sydd yma heb fod
angen ei malurio a'i chreithio nes bod briwiau'r ymdrechion yn
dyllau noethion yn y creigiau, ac yn wrymiau chwyddedig ar
waelodion y dyffrynnoedd. Mae Garn Bentyrch mor esmwyth
â chlustog felfed wrth edrych i'w chyfeiriad oddi ar y ffordd yn
ymyl Cae'r Ferch, ac y mae'n ernes o natur donnog y golygfeydd
sy'n dilyn. O fryncyn i fryncyn, ac o allt i allt, yn groes ymgroes
drwy'i gilydd, a phob mynydd hyd yn oed yn codi i'w lawn
faint trwy gymorth un bach wrth ei ochr fel pe bai arno ofn ei
mentro ar ei ben ei hun.

Cyn cyrraedd tro Cefn Cae'r Ferch, mae capel Annibyn-
wyr Sardis fel pelican ar ei ben ei hun wrth ochr y ffordd heb dŷ
na thwlc yn agos iddo, ac ar ôl ei basio mae'r ffordd ei hun yn
troi a throsi nes cyrraedd Pencaenewydd. Taith fer sydd wedyn
heibio i Felin Plas Du i'r Ffôr, 'Four Crosses' ar fapiau'r llyw-
odraeth. Yno, daw ffordd fach y llus a'r unigeddau i gyfarfod
prysurdeb y ffordd fawr o Gaernarfon i Bwllheli, ac nid oes amser

i lusgo a gwagsymera ar hyd honno. Mae'r byd i gyd yn rhuthro drosti, ac y mae ei throadau wedi eu codi un ochr a'u gostwng yr ochr arall er mwyn iddo gael rhuthro mwy. Waeth pa mor ramantaidd y cychwynnir yn nhawelwch Eifionydd, trwy sŵn cerbydau ac aroglau petrol ac oel y mae diwedd y ffordd i Lŷn.

PENNOD II

Heibio Moel Hebog

Mae dwy afon a dwy ffordd yn cyfarfod wrth y bont ym Meddgelert. Daw'r naill ffordd o Nant Gwynant heibio i Lyn Dinas, a'r llall o Nant Colwyn trwy lymder noeth y mynyddoedd. Y tu hwnt i Lyn Dinas mae ucheldir anial mawreddog perfedd Eryri heibio i Gwm Dyli a llethrau'r Wyddfa i wastadedd Dyffryn Mymbyr, a'i hirwellt gwyn lle gwelwyd gwartheg blewog yr ucheldiroedd yn rhan o arbrawf awdur *I Bought a Mountain* Rhed y ffordd arall gyda glannau'r afon Golwyn a chwarae mig gyda'r hen 'Lein Bach', heibio i ffermydd fel Meillionen a Hafod Ruffudd nes cyrraedd Llyn y Gader, a 'dau glogwyn a dwy chwarel wedi cau'. Mae Rhyd-ddu yn Eryri heb ddim cwestiwn, a llwybr oddi yno yn arwain i ben yr Wyddfa ei hun. Efallai mai am y llwybr hwnnw y telorai tenoriaid eisteddfodol dechrau'r ganrif y disgrifiad rhynllyd, 'dan luwchion oerion eira'.

Saif Beddgelert ei hun ar wastadedd yng nghanol y mynyddoedd, ac wrth ddod ato o Eryri ar hyd un o'r ddwy ffordd, ymddengys fel pe bai'r creigiau a'r clogwyni wedi darfod a gwastadedd eang yn ymagor allan. Ond llwynog ydyw, a buan y bydd yn cau yn ei ôl yn fwlch cul rhwng godidowgrwydd creigiau Aberglaslyn. Ond mae'n werth aros ychydig yn y dyffryn neilltuedig.

Ei stori fawr yw stori ei enw. Mae'n ddiamau y gwedir hi yn ysgolheigaidd hanesyddol, a'i chondemnio fel ffug celwyddog tafarnwr heb unrhyw sail iddi. Ond mae'n bod yr un fath yn union. A chwarae teg iddi, hen stori dda ydyw. Mae blas y mynyddoedd arni, ac mae'n llawn o awyrgylch y mynyddoedd lle fflachiai llygad llwglyd blaidd yn chwilio am ysglyfaeth. Mae pob babi bach yn dlws, ac mae'r sawl na welodd y ffyddlondeb cadarn yn edrychiad ambell hen ffrind o gi wedi colli darn o brofiad mawr. Rhodder tywysog lluniaidd o Gymro glân gloyw yn arwr y gymysgedd, a dyna'r stori erbyn heddiw beth bynnag

a pha mor wahanol bynnag oedd ei tharddiad. Mae symud buan
sŵn carnau meirch ar fyrwellt yr ucheldir yn llinellau cyntaf cân
Talhaiarn.

> 'O'r helfa ar ei fuan farch,
> Llewelyn ddaeth i'w lys . . '

ac nid oes dim o'i le ar ei diwedd chwaith,

> 'Cei faen o farmor ar dy fedd,
> Anrhydedd fydd dy ran,
> A'r ci wrth lyfu llaw y llyw
> Fu farw yn y fan.'

Dyna'r stori sy'n tyfu ym meddwl pob plentyn a gerddodd ar
hyd y llwybr gwastad ar y ddôl i weld 'y bedd' pan fydd trip yr
Ysgol Sul yn aros ym Meddgelert ar ei ffordd o Lŷn 'rownd y
pas' i drefi glannau môr y gogledd.

Bydd ambell hanner awr o brysurdeb gwyllt yn y pentref ar
foreau braf yn yr haf pan ddaw'r bwsiau heibio a dadlwytho eu
cynulleidfa gymysg o flaen un o'r tai bwyta. Mae 'ffyddloniaid'
yr Ysgol Sul yn hawdd eu hadnabod. Hwy ddaw allan yn gyntaf
am eu bod yn eistedd yn y tu blaen. Mae golwg ein-diwrnod-ni-
ydi-hi-heddiw-beth-bynnag arnynt, yn famau solet canol oed am
fynnu eu mwynhau eu hunain, a'r dosbarth hynaf am ddangos
eleni eto eu bod yn dal mor ifanc eu hysbryd ag erioed. Ymysg
y plant, hogyn bach mewn siwt orau fawr yn llwyd fel lludw ac
yn falch o gael dod allan i'r awyr iach o gythreuldeb y bws
drewllyd a'i hysgydwodd nes bod ei stumog fel tonnau'r môr.
Ac wedyn, 'yr hogia' yn uchel eu cloch ac yn ddigri ofnadwy er
mwyn bod yn siŵr o gael hwyl. Yn olaf, y rhai a dalodd yn
ddigon distaw am eu cario ac sydd yn fodlon bod yn gefnogwyr.
Y dreifar ar ei ben ei hun yn ddihidio, ddifater yn edrych ymlaen
at gyrraedd Llandudno neu'r Rhyl er mwyn iddo gael gorwedd
a chysgu ar wastad ei gefn mawr ar sêt ôl ei fws. Os breuddwydia,
efallai y gwêl afonydd o de llygoer yn llifo i gyfeiriad y bws a'r
llwyth yn lleibio'r llifeiriant i'w gyfansoddiad i'w nerthu ar
gyfer y siopau a'r ffair wagedd.

Safai dau Sais yn nrws gwesty mawr yn ymyl yn edrych ar y
bws trip Ysgol Sul yn mynd o'r golwg dros y bont ac i fyny am y

mynyddoedd. Pysgotwyr oeddynt a barnu wrth yr esgidiau ryber hirion a'r basgedi melynion oedd ar lawr. Yr oedd sŵn eu Saesneg i'w glywed ymhell yn ôl yn eu gyddfau fel dŵr mewn ogof, a gellid dychmygu pysgod bach yn afon Glaslyn yn crynu o'u trwynau i'w cynffonnau ac yn swatio o'r golwg dan garreg neu dorlan pe gwyddent fod y fath odidowgrwydd imperialaidd ar eu trywydd. Daeth dyn yn cerdded gyda beic dan ei law o'r ffordd gyda chornel y gwesty. Hen facintos fudur oedd amdano a chap am ei ben a hwnnw wedi ei wisgo nes ei fod wedi colli pob mymryn o'i siâp ei hun ac yn byw yn gyfangwbl ar siâp pen ei berchennog erbyn hyn. Wrth lyw'r beic hongiai samon lliw arian a'i drwyn yn cyffwrdd y ddaear wrth i'r dyn droi'r gornel. Pasiodd y drws lle'r oedd y ddau bysgotwr yn paratoi ac ar ei union heibio i ffrynt y tŷ i'r drws cefn. Daeth yn ei ôl heb y samon ymhen ychydig funudau. Dyn wrth ei waith ydoedd mae'n debyg. Nodiodd y ddau Sais yn ddeallus ar ei gilydd a dal ati yn ffroenuchel i drefnu eu taclau. Dau bysgotwr wrth eu proffes mae'n siŵr.

Wrth aros i wrando ar y distawrwydd yn ymyl yr eglwys ac aroglau mwg y bore yn llithro heibio'n atgofus drwy'r awyr, gellir yn hawdd iawn ddeall rhyw sant a ganfu yma le i aros a myfyrio yn yr unigeddau yng nghysgod y mynyddoedd. Daeth eraill ato mewn amser, ac yna ryw ddiwrnod torrwyd sylfeini'r Priordy a godwyd garreg ar garreg a holl sicrwydd a diogelwch awdurdod y tu fewn iddo. Yr oedd croeso yno i bobl ar eu taith, a'u gwala iddynt wrth y bwrdd. Bu tywysogion Cymru yn garedig wrth y Priordy a rhoi tiroedd yn ei enw ar lethrau'r bryniau ac yn y dyffrynnoedd a'r cymoedd. Pan losgwyd y tŷ i'r llawr tua'r flwyddyn 1283 gwnaeth esgob Bangor apêl arbennig at y brenin Edward y Cyntaf i ail godi tŷ 'Monachlog Dyffryn y Fendigaid Fair yn Eryri'. Nid oes fawr o olion y Priordy erbyn hyn, ond y mae digonedd o naws eglwysol dan gysgod yr ywen drom sy'n tyfu yn y fynwent ac yn ei lledu ei hun yn dduwch tewfrig dros y llwybr o'r porth i'r drws. Mae wedi darfod am y ffraeo a'r anghytuno am dir a meddiannau a fu rhwng y Prior a'r esgobion a'r tywysogion, ac os cafodd Siôn Wyn o Wydir farch gan Ddafydd Prior Bedd Gelert ar gais cywydd Lewys Daron, nid oes fawr neb o ddisgynyddion y march yn taro eu pedolau ar wellt gwaelod y dyffryn. Gellid aros yn hir gyda'r englynion ar y cerrig yn y fynwent, a phob un yn llawn o sŵn Eryri a 'chadernid Gwynedd'.

"Twll o le," oedd dyfarniad cwta gŵr llwyd oedd yn sefyll â'i gefn ar ganllaw'r bont. Nid oedd arno fawr o awydd ymhelaethu ar ragoriaethau'i gynefin chwaith. "Wedi ei wasgu i grombil yr hen fynyddoedd 'ma nes mae o wedi mynd yn r'wbath rhwng fan'no a n' unlla. Be sy' 'ma?" meddai'n gwerylgar, ac heb aros am ateb. "Dim ond pob peth yn mynd drwadd fel tasa chi yn byw ym mherfadd pry genwair." Pawb â'i farn, a chwarae teg i'r gŵr llwyd, yr oedd ei farn ef yn groyw ac yn gryno beth bynnag am fod yn briodol.

Mae Gwesty'r Afr yn falch o ddangos yr ystafell lle bu'r crwydrwr pigog hwnnw, George Borrow, yn cysgu. Yn ôl ei gofnod ef ei hun, cyrhaeddodd Borrow Feddgelert a gweld golau mawr yn y gwesty. Siomwyd ef yn arw iawn yn ei gyd-letywyr. Aeth i'w wely'n gynnar meddai, 'yn eiddgar i gael gadael y fath gymdeithas'. Ond fe arhosodd yntau hefyd ar ei ffordd i lawr y dyffryn, cyn mynd allan o wastadedd agored Beddgelert, a rhyfeddu at fawredd yr olygfa o'i ôl. Yr un yw amlinell y gorwel o hyd. Cerrig Llan ar y dde a Moel Hebog ar y chwith, ac Eryri yn gefndir yn y bwlch. Gellid stelcian yn hir ar lechweddau heulog y mynyddoedd, ac y mae digonedd o lwybrau hawdd i'w dringo ar gyfer pobl mewn trywsus llaes ac esgidiau ystwyth, yn ogystal â'r llwybrau anodd ar gyfer pobl mewn trywsus cwta ac esgidiau hoelion a rhaff lyfndew wedi ei chyrsio dros un ysgwydd ac o dan eu cesail, yr un fath a'r sias fyddai gan yr Oddfellows ar ddydd Llun Gŵyl Lafur pan fyddent yn cerdded o flaen y band yn Nyffryn Nantlle.

Dirwyn y ffordd o Feddgelert gyda glannau'r afon i lawr gwaelod y doldir bras, ac ar ôl i'r cwm ledu am ychydig a bygwth ymagor allan i fod yn ddyffryn eang, mae'n newid ei feddwl, a dechrau'r mynyddoedd gau amdano drachefn. Cyflyma i hafn gul Aberglaslyn a'r mynyddoedd mawr wedi gwasgu at ei gilydd o'r naill ochr a'r llall i greu un o olygfeydd enwog Cymru. Bron na ellid bod wedi darfod y gorchwyl yn daclus a rhoi dorau

mawr o'r naill glogwyn i'r llall i gau allan 'Ddyffryn y Fendigaid
Fair yn Eryri', a'i guddio oddi wrth y byd. Ond ar agor y mae a
thragwyddol heol croeso hufen rhew a lemoned i bawb a fyn
edrych ar ei odidowgrwydd. A lle hardd yn wir ydyw. Cyn
cyrraedd y coed sy'n cysgodi'r bont a'r afon a'r ffordd sydd yn
arwain i Sir Feirionnydd, mae'n werth aros yng nghulni'r cwm.
Yr ochr arall i'r afon ar serthni'r llethrau mae'r lein bach yn dod
allan o geg un twnel ac yn mynd i mewn i un arall fel pwyth o
ddur mewn pletan yn y creigiau, ac mae'r coed meinion hirion
wedi gafael fel gelod mewn mymryn o ddaear sydd o'r golwg
rhwng y cerrig ac ymestyn eu pennau cwta i gyfeiriad y goleuni
sydd yn yr hafn las yn y pellteroedd uwchben. Bydd ambell
ddafad ar lecyn arswydus o beryglus ar y clogwyni weithiau.
Cytgord rhyfedd sydd rhwng brath ysgythredd brwnt clogwyni'r
mynyddoedd a diniweidrwydd dafad ac oen bach. Ar fan isaf a
chulaf yr hafn mae bwrlwm yr afon, yn torri ar gerrig, rhedeg ar
raean, lluchio ar graig, a thonni yn llyfn ar ei phyllau tywyll ei
hunan. Lleinw sŵn ei 'llamu heibio' y distawrwydd a'r llonydd-
wch. Hi ydyw'r symud a'r bywyd, a chordeddu ei haflonyddwch
ydyw cyfrinach yr holl brydferthwch mae'n debyg. Collir golwg
arni o'r ffordd fawr ar ôl pasio'r bont, ond daw i'r fei yn awr ac
eilwaith rhwng y coed, ac yn y diwedd daw yn ei hôl at ochr y
ffordd, ond nid arian byw mohoni erbyn hynny. Mae'r byd yn
arafach a'i orwelion yn lletach,

> Pan lithrai gloywddwr Glaslyn
> I'r gwyll fel cledd i'r wain.

Meirionnydd biau Ynysfor a rhamantau'r cŵn a Dafydd Nanmor
a Gwen o'r Ddôl, ac y mae Croesor a chof dihysbydd Bob Owen
gerllaw i edrych ar eu holau i gyd.

Mae dod i lawr y ffordd o bont Aberglaslyn fel byw mewn
teras heb ffenestri cefn ynddo. Creigiau a choed ar yr ochr dde
yn pwyso at ymyl y ffordd, a gwastadedd eang o'r ddwy ochr i'r
afon ar y chwith nes cyrraedd heibio i Bren-teg a Chraig Bwlch
y Moch hyd eithaf llawr y tir y bu'r gŵr diwyd hwnnw, W.
A. Maddocks, yn ei ddwyn oddi ar y môr. Mae daear Dyffryn
Madog yn lliwgar iawn a'r morglawdd enwog wedi ei ham-

ddiffyn rhag stormydd gaeafau lawer. Mae lliw aur ar hyd ei lyfnder pan fydd yr haul yn machlud yn yr Hydref, a fawr ddim i goffau am yr antur a olygai ei groesi ers talwm, pan oedd ambell lanw mawr yn ysgubo ar ei hyd a symud gwely'r afonydd yma ac acw wrth ei fympwy.

Hen syniad o eiddo Syr John Wyn o Wydir oedd cael mor-glawdd i amddiffyn y tir ar y gwastadedd, ond William Alexander Maddocks, o deulu o Sir Ddinbych, a roes gynnig ar wneud y gwaith.

Ganed ef yn 1773 yn Sir Ddinbych ac aeth i Rydychen i'r coleg ac yno bu ganddo ddiddordeb mawr yn y ddrama ac mewn celfyddyd. Bu'n aelod seneddol dros etholaethau yn Lloegr, ac o Ddolmelynllyn yn Nolgellau y daeth i ardal Porthmadog. Tipyn o anturiaethwr nodweddiadol o'i gyfnod oedd Maddocks a digon o gyfoeth wrth law ganddo i geisio sylweddoli ambell freuddwyd go wyllt. Rhywbeth felly a ddaeth â Thremadog i fod.

Daw 'Y Dre' i'r golwg yng nghwr y gwastadedd. Rhed y ffordd i lawr o dan ambell i ddibyn o graig digon hyll, a heibio i Dan-yr-allt a'i goed rhododendron. Yma y bu Shelley yn aros yn 1812 ac yn 1813. Efallai i wynt y Gorllewin dros dywod y traethau chwythu drwy'i wallt ar lwybrau'r gelltydd, a dichon bod hanfod a chychwyn ambell fflach o'i ddychymyg yn awyr a daear Dyffryn Madog.

Am Dremadog ei hun, lle gwneud ydyw. Mae'n dwt ac yn daclus ryfeddol, gyda'i sgwâr eang, ei Neuadd Farchnad, a'i westy lle byddai'r goets fawr yn newid ceffylau. Yr oedd drws yn agor o'r gwesty yn syth i'r Neuadd er mwyn i'r gwesteion gael mynd ar eu hunion i rialtwch y ddawns heb i lygad chwil-frydig y werin gael cyfle i edrych arnynt, a rhag ofn i'r werin ddigwydd chwythu ar eu crandrwydd. Mae'r strydoedd yn union-syth a llydan yn eu herthyldod, ac yn ddigon gweigion. Profiad siomedig ydyw cychwyn o sgwâr Tremadog gyda'i gynllun taclus a'i bensaerniaeth lân a mynd allan i flerwch mannau fel Penmorfa. Yn wir buasai'n werth i ambell Gyngor Lleol sydd wedi bod yn crach gynllunio yn y blynyddoedd diwethaf yma aros mewn edmygedd a dysgu gwersi mewn gweddeidd-dra a gwedduster oddi wrth gynllun glanwaith y llinellau diymhongar a dynnwyd gan adeiladwyr tref dros gant a hanner o flynyddoedd yn ôl. Ac eto rywsut, lle gwag ydyw Tremadog. Mae'r ysgol wedi mynd, gogoniant y gwesty wedi mynd, ac ar ôl holl ysblander y blynyddoedd, londri fawr ydyw un o'r pethau pwysicaf yma erbyn hyn. Tybed ai dyma dynged naturiol pob lle gwneud? Tyfu i sylweddoli breuddwyd rhyw weledydd hirben a ffynnu am ychydig ac yna llithro i ebargofiant a dim ond byw wedyn i ddangos gogoniant ei orffennol fel hen gantores enwog yn gwisgo gweddillion ei mawredd mewn sidan a melfed a'u hymylon wedi raflio? Mae'n dlws iawn ar bnawn tawel o haf, ond gellid meddwl am lawer amgenach lle na Thremadog pan fydd oerwynt dechrau'r gaeaf yn chwythu'n wlyb i lawr hafnau'r mynyddoedd o Eryri.

Ar y chwith wrth adael 'Y Dre' mae cartref Lawrence o Arabia, a rhed y ffordd lydan yn ei blaen yn syth heibio'r orsaf ac i sgwâr taclus tref wneud arall ym Mhorthmadog. Yr un strydoedd llydan cynlluniedig sydd yma eto. Lle diweddar ydyw wedi ei dyfu ar ôl codi'r morglawdd. Mae olion estroniaeth y gorffennol yn hyd yn oed yr ymneilltuaeth a fu'n gyfrifol am fod yma gapel Saesneg gan Yr Hen Gorff. Wrth osod dorau i gau yn erbyn llanw'r môr, fe agorodd Maddocks led y pen i Seisnigrwydd, a pheth rhyfedd ydyw bod lle wedi cael cystal cyfle i fynd yn Seisnigaidd wedi aros mor lân ei iaith ac wedi cyfrannu cymaint i lenyddiaeth Gymraeg. Efallai mai dylanwad gwŷr fel Emrys, a dreuliodd ei oes yn weinidog yma, Alltud Eifion, a weithiodd gymaint dros yr eglwys yn Nhremadog, Ellis Owen o Gefn-y-meysydd, Iolo Caernarfon, a llawer enw adnabyddus arall sy'n gyfrifol fod cynifer o Gymry adnabyddus heddiw, yn feirdd, llenorion a cherddorion yn byw ym Mhorthmadog. Byddai'r rhestr gyfoes yn faith, ond gorchwyl perygl fyddai, a allai beri gorfod dyfynnu'r dyn a fyddai'n cynnig y diolchiadau yn Eisteddfod y Plant, "Os ydan ni wedi gadael rhywun allan, gobeithio y gwna' nhw dderbyn diolchgarwch gwresocaf y pwyllgor."

O'r stryd fawr, gellir troi i mewn i siop Eidalwr rhadlon, i siopau'r cwmniau mawr, neu i ambell siop fwy cartrefol ei chynnwys a'i haroglau, offer fferm, llychau a blawdiau. Gall pethau

digon gwahanol dynnu trigolion y cwmpasoedd cylchynol i
Borthmadog. Chwilio am gynrhon i fynd i bysgota. Ymweliad
crynedig â Swyddfa'r Dreth Incwm. Neu brynu car, a stelcian yn
y garej ar gwr y dre a chael y rheolwr llithrig ei barabl yn medru
troi oddi wrth rinweddau gwyrthiau dur canolbarth Lloegr a
oedd yn llond y ffenestr o sglein a themtasiwn, i sôn yn ddeallus
feirniadol am Gyfansoddiadau'r Steddfod neu gyfres o lyfrau.
A dod i wybod bod ganddo gopïau o bob math o bethau diddorol
yn ymwneud â hanes yr ardal. A'i gael yn gymwynaswr rhadlon,
ac yn werthwr slic.

Ond wrth grwydro er mwyn crwydro mae'n werth sefyll ar
ddiwrnod glas o haf ynghanol cymysgedd y stryd a gweld ambell
un adnabyddus yn pasio. Cymry sy'n haeddu parch eu cenedl am
weithio iddi. Dynion fel cyn-Brifathro'r Ysgol Ramadeg, Mr.
William Rowland, yn fonheddig hynaws. Llygad direidus
John O. John, awdur 'Darnau Diddan' wrth iddo fynd â llythyrau
i'r post o Swyddfa'r Dreth Incwm. Diddan wir. Ac yno, ar
ganol pnawn, a'r ceir yn gwibio heibio, gwybod bod Cymru yn
fyw yn y bobl a oedd yn mynd ôl a blaen ynghylch eu busnes,
ac yn preswylio o dan y toau llechi oedd yn cneitio yn nhan-
beidrwydd yr haul. Pobl fel y Parch. William Jones, y bardd a
ofynnodd,

> Pwy ydyw dy gariad, Lanc Ifanc o Lŷn,
> Sy'n rhodio'r diwetydd fel hyn wrtho'i hun?

yn un o delynegion mawr y ganrif. A hynny yn cysylltu â
chanrif arall Porthmadog.

Nid oedd gan Dewi Wyn fawr o olwg ar obaith Maddocks
a'i weithwyr i lwyddo i reoli rhediad y môr. Mae hanes yr
ymdrech wedi ei groniclo'n arwraidd gan Alltud Eifion yn y
gyfrol ryfedd honno o hanes lleol gyda'i theitl swnfawr a mawr-
eddog, *Y Gestiana*. 'Yr oedd llawer yn meddwl fel Dewi Wyn
pan y canodd fel hyn', meddai Alltud Eifion,

> Mwy perwyl na champwri—a gorchest
> Fydd gwarchau y weilgi;
> Nid gwal eill atal y lli
> Y môr dwfn, mae rhaid ofni.

Er gwŷr call diball dybiau,—er cewri,
A'u cywrain fwriadau;
Llifeiriant er cymaint cau,
Dŵr a fyn ei derfynau.

Â'r *Gestiana* ymlaen i ddweud fel y sefydlwyd 'tramwyfa rhwng
y ddwy sir yn 1811'. Ond mewn storm fawr ar y 14 o Chwefror,
1812, 'daeth rhuthrwynt ofnadwy o'r De Orllewin, a'r môr yn
rhedeg yn uchel ryfeddol, gan guro ar y Morglawdd yn ddych-
rynllyd, trwy fod y gwynt mor nerthol yn y cyfeiriad hwnnw,
a'r gorlanw mor uchel ar y pryd, torrodd y Morglawdd yn agos
tua'i ganol'. Bu Shelley yn un o'r rhai a fu'n annerch cyfarfodydd
i godi cronfa i drwsio'r clawdd, ac yn 1814, 'fe gauwyd y bwlch
a hynny yn bennaf trwy suddo llestr yn llawn o gerrig'.

Mae'r Cob yn gadarn iawn y dyddiau yma. Safai gŵr canol
oed wrth geg y ffordd sydd yn arwain ohono i Borthmadog, ac
yn ffodus yr oedd yn ŵr siaradus, rhadlon, ac yn bennaf oll, "un
o hogia'r Port 'ma ydw i". Er nad oedd yn hen yr oedd yn cofio'r
"ddwy ffowndri 'ma yn mynd 'y chi, a ffowndri arall y tu draw
i'r Cob 'ma 'y chi". A chofio, "mynd yn hen fois o'i ysgol i
weld deifar yn mynd i lawr i edrach y dora'." Ond ias o chwith-
dod oedd yn ei stori gyfoes, a "phethau wedi newid 'y chi a
dim llechi yn dwad o Stiniog a dim llonga yn yr harbwr". Ac
yn ei chwithdod gellid cael cipolwg ar aml hogyn o Lŷn a ddaeth
i Borthmadog i chwilio am long, ac wedi treulio'i flynyddoedd
yn hwylio ar led y byd, yn gorffen ei oes yn ei lordio hi ym
mhentref ei eni, yn gapten wedi riteirio, yn 'extra master square
rig certificate'. Pethau i borthi'r felancoli ydyw hen gadwyni
llongau wedi rhydu a ffordd haearn wedi tyfu'n las. 'Chwarel
wedi cau' ydyw chwarel Moel Y Gest hefyd.

Mae paent disglair a phennau gwynion carafannau'r haf yn
rhan o gynefin y glannau bellach. O ymyl Neuadd Dref Porth-
madog mae'r ffordd yn mynd am Borth-y-gest a'i boblogaeth
ymddeoledig, ac ar y chwith i'r ffordd ohoni, gerllaw'r llyn
mae ffermdy'r Garreg Wen. Mae'n siŵr fod, neu y bydd, rhyw
iconoclast o hanesydd academaidd lychlyd yn troi pelydrau
llachar ei ysgolheictod ar hanes y telynor hefyd a cheisio gwyro

cenhedlaeth drofaus oddi wrth ei chamsyniadau, ac efallai ddweud nad oes fawr o wir yn yr hanes. Diolch nad oes neb wedi llwyddo i ladd y traddodiad hyd yma, a bod atgof am y telynor ifanc hawddgar yn dal i droi o gwmpas y Garreg Wen a'i gysylltu yn annatod wrth symudiad llyfn hiraethus tristwch lleddf yr alaw. Saif y gofgolofn a godwyd gan Elis Owen yn hen fynwent Ynyscynhaearn heb fod ymhell, a'i englyn i'r telynor,

> Swynai'r fron, gwnâi'n llon y llu,—a'i ganiad
> Oedd ogoniant Cymru;
> Dyma lle ca'dd ei gladdu,
> Heb ail o'i fath—Jubal fu.

O gwmpas y Garreg Wen a'r llyn yr oedd Eifion Wyn wedi cael deunydd ei gân, a'i gwestiwn,

> Mor flin yw ffrwd y Garreg Wen.
> Ai onid yw ei murmur hi,
> Ac oerni'r llyn o dan dy ben,
> Yn torri dy freuddwydion di?

Croniclodd O. M. Edwards hanes ei ymweliad â'r Garreg Wen hefyd ac yn hanes ei sgwrs â'r eneth fach condemniodd y gyfundrefn a oedd yn gwrthod rhoi ei threftadaeth iddi,

"A ddysgodd neb erioed i ti ganu alawon Dafydd y Garreg Wen, a thithau'n byw yn yr un wlad â fo?"

"Naddo."

"Be fedri di ganu?"

"Little Ship a Gentle Spring."

Ychydig a wyddai plant Cymru yn y cyfnod hwnnw am enwogion eu gwlad ac ychydig o alawon Cymreig a genid yn yr ysgolion; ond erbyn heddiw ychydig sydd na chlywsant ganu alaw 'Dafydd Y Garreg Wen'.

Man ymddeol arall yw Morfa Bychan lle gellir cerdded ar fanciau tywod gyda min y traeth am filltiroedd lawer. Traeth gwastad caled o dywod glân ydyw, a chynhelid rhedegfeydd motor beic yno ers talwm. Mae'n lle diogel i roddi gyrrwr dibrofiad wrth lyw car hefyd ond gofalu nad yw yn rhuthro'n wallgof trwy rai o'r mân afonydd a'r pyllau dŵr sy'n cuddio

C

mewn ambell bant. Gellir troi o'r traeth cyn cyrraedd y Graig Ddu a glan môr Cricieth a cherdded llwybr gwastad sy'n graddol droi yn ffordd gul a dod allan ym Mhont y Wern, yn ymyl yr hen blasty enwog ei gysylltiadau â gwleidyddiaeth diwedd y ganrif ddiwethaf a dechrau'r ganrif hon.

Gellir dilyn y ffordd fawr o Bont y Wern yn ôl i Dremadog, neu fynd y ffordd arall i gyfeiriad Pentrefelin a chroesi oddi yno i Benmorfa. Ffyrdd troellog croesion ydynt yn tueddu i fynd yn gul gan haf ym mis Gorffennaf a mis Awst, a gellid llusgo ar eu hyd yn hir iawn ar brynhawnau braf yng nghwmni rhai o 'Wŷr Eifionydd' y sonia Mr. William Rowland amdanynt yn ei lyfr. Am Syr Hywel y Fwyall o Blasty Bronyfoel a Chastell Cricieth yn gwneud enw iddo'i hun trwy dorri pen ceffyl yn glir oddi wrth ei gorff gydag un ergyd â'i fwyall mewn brwydr dros frenin Lloegr yn Ffrainc, ac am Iolo Goch yn canu i nai Syr Hywel, Einion ap Gruffudd,

> Trwy faenol tir Eifionydd,
> Tra f'ych a fynnych a fydd.

Am yr ymrafael rhwng teuluoedd y plasau cyfagos a dynion fel Ieuan ap Robert a Hywel ap Rhys. Am yr hen fardd Cadwaladr Cesail a allai fod â chysylltiadau â'r Gesail Gyfarch yn ymyl, yn cwyno oherwydd rhoi dynion da o Lŷn ac Eifionydd yng ngharcharau Llundain adeg helynt fforest yr Wyddfa yn 1559,

> Y mae hiraeth trwmgaeth trymgar—hynod,
> Ohonof nid ysgar.
> Dilais wyf, deliais afar;
> Mae fyth gof am fy wyth gâr.

Fe synnai pe gwyddai mor dda y dysgwyd y wers i'w plant mai gwell ydyw llyfu llaw awdurdod Lloegr na'i frathu.

Mab i ferch y Gesail oedd Humphrey Humphreys, a gysegrwyd yn esgob Bangor yn 1689. Ymdrechodd ei orau i gael yr Anghydffurfwyr yn ôl i'r eglwys, ac ymchwiliodd yn fanwl i hanes ei esgobaeth. Er iddo gael ei symud i Henffordd yn 1701, nid anghofiodd wlad ei febyd a'i gysylltiadau â'r esgobaeth gyntaf.

Ar y ffordd o Dremadog i Gricieth, ar y dde i Bont y Wern

mewn tŷ o'r enw Cwt y Defaid yr oedd cartref yr eglwyswr selog Edward Samuel. Mae atgof yn yr enw Cwt y Defaid o'r dyddiau pan oedd llanw'r môr yn rhedeg ar y gwastadeddau ac angen llochesu preiddiau i aros am gyfle i groesi enbydrwydd y Traeth Mawr. 'Doedd ryfedd yn y byd i'r clerigwr rhyddieithol blethu ei argraffiadau o Fis Mai yn garol gywrain. Mae aur ar eithin Penmorfa, a 'nerthol wyrthiau' yn y llwyni drain. Dyn gwahanol iawn i Edward Samuel oedd John Owen o'r Clenennau. Mae bedd Syr John Owen ym mynwent eglwys Penmorfa, a'i blasty, erbyn hyn, yn ffermdy ar y llethr yr ochr uchaf i'r ffordd fawr o Dremadog i Gaernarfon. Yr oedd tua chan mlynedd wedi mynd heibio er adeg helynt fforest yr Wyddfa, ac mor wan oedd y brenhinwr hwn o Gymro a ddedfrydwyd i farw gan lymgwn Piwritanaidd Cromwell, nes iddo ddweud wrth ddiolch am y ddedfryd,

'Y mae'n anrhydedd mawr i ŵr bonheddig tlawd o
Gymro gael torri ei ben gyda'r fath arglwyddi urddasol'.
Ni chafodd Syr John Owen y fraint o dorri ei ben, ond bu dinistr annibyniaeth Cymru yn llwyr iawn.

Wrth adael gwastadedd iseldirol Porthmadog a dringo'r allt drwy Benmorfa, mae'r wlad yn newid ac ambell hen graig ysgythrog yn ymwthio allan trwy groen tenau'r ddaear. Mae'r ffordd fawr yn llydan ac anniddorol, ond mae mân ffyrdd yn troi i'r dde ohoni am y mynyddoedd. Llithra un ohonynt yn ddigon moel dros lechweddau agored i fyny i Gwm Ystradllyn. Mae'n troi a throsi llawer cyn cyrraedd y llyn, sydd wedi ei ehangu i'w wneud yn gronfa ddŵr i Lŷn ac Eifionydd, ac yn wir y mae llawer o goncrit mwy anweddaidd ar hyd a lled y wlad na choncrit y clawdd hwn yng ngwellt gwyn, crin y mynyddoedd a'r 'llymder di-goed'. Ar ôl glaw bydd ffrydiau o'r ochr bellaf yn disgyn i'r llyn fel rubanau arian. Mae'n siŵr mai'r peth i'w wneud i fod yn deithiwr iawn fyddai ei chymryd hi yn warrog a hirgoes i fyny'r llethrau o le fel Cwmstrallyn a cherdded ar gribau'r mynyddoedd a meddwl am bethau fel 'cawr i redeg gyrfa' a 'phenrhynion tragwyddolwawr' yn y gwynt a'r cerrig. Ond ar ôl hanner canrif o olwyno mae'n berygl mai troi'n ôl o gymoedd diarffordd fel hyn ydyw hanes y rhan fwyaf a bodloni ar weld y mynyddoedd

fel 'wal ddiadlam' a gadael iddynt er eu bod yno. Neu am eu bod
yno efallai. Ar ôl cawod o law bydd afon Cwmstrallyn yn ei lluchio
ei hun yn drochion gwynion o boptu'r bont sy'n ei chroesi
gerllaw Ynys y Pandy, ac wrth sefyll i edrych arni mae'n hawdd
gweld gwerth dychwelyd yr un ffordd a chael mwy o hamdden.
'Roedd y dynfa am gyrraedd a gweld yn peri bod y siwrnai i
fyny yn rhuthr gwyllt, ond wrth ddod yn ôl yn ara deg gellir
edrych dros esmwythyd mân fryniau Eifionydd a thros rimyn
o fôr glas i weld Penrhyn Llŷn o olwg newydd sbon. Mae'n
ddigon anodd adnabod hen farciau cynefin o fannau dieithr, ac y
mae glesni'r pellter yn cuddio llawer hen ffrind o ffridd a rebal o
graig.

Ni raid dod yn ôl i'r ffordd fawr uwchlaw Penmorfa.
Troi ger Hen Efail a mynd heibio ffatri wlân Bryncir ar ôl pasio
Clenennau ar y dde. Dichon y bydd yn anodd cadw gwragedd
rhag dilyn trywydd yr edafedd a mynd i mewn i fodio'r cwiltiau
a'r plancedi yng nghroeso cynnes a gwlanog y ffatri. Mae rhai
o liwiau'r edafedd a phatrymau'r gwau mor Gymreig â ffurfiau'r
mynyddoedd y tu allan. Peth hawdd iawn ydyw gadael y Ffatri
yn dlotach o dipyn o arian ond yn gyfoethocach o ddarn o
waith crefftwyr o Gymry, a da iawn fyddai gweld mwy o fannau
tebyg i weithwyr gael cyfle i aros a gweithio yn eu cynefin ac
yng nghefn gwlad yn lle bod y bythynnod yn mynd â'u pennau
iddynt ac adfeilion y tai yn mynd yn ddrych o'r gymdeithas
adfeiliedig.

Draw ar hyd y ffordd mae pont wrth hen dŷ porth Plas
Bryncir. Gwegni sydd yn adfeilion y plas hefyd. Saif ar godiad
tir urddasol a choediog ar ôl troi i'r dde. Carcharorion rhyfel yn
ystod y Rhyfel Byd Cyntaf fu'r preswylwyr olaf, ac yr oedd
enwau rhai ohonynt i'w gweld ar byst y drysau a linterydd y
ffenestri yn y cyfnod rhwng y ddau ryfel. Ond ar ôl yr ail
Wallgofrwydd Byd gadawyd y Plas yn furddun a'r mieri
traddodiadol yn llusgo i bob hafn o bridd ynddo. Mae'n debyg
mai am ei fod mor unig y bu yn destun cymaint o straeon
ysbrydion. Rhai ohonynt yn syml o ddirgelaidd. Dim ond sŵ
canu rhyfedd i'w glywed o gyfeiriad y plas ar brynhawn yn
nechrau haf ac arwerthiant anifeiliaid mewn fferm yn ymyl.

6. Penmorfa.

7. Clenennau.

¦ Darn o'r hen dŷ yn y gesail, a'r hen do llechi i'w weld. Yr hen furddun mewn cae gyferbyn
(1432 wedi'i gerfio ar garreg yno).

8. Y Gesail Gyfarch.

Yr hen dŷ i'w weld yn pwyso'n erbyn tal maen y newydd. Pen carn yr hen wrth grib y newydd.

A straeon eraill yn gymhleth gynhyrfus ac anesboniadwy. Stad Glynllifon, y perchenogion ar y pryd, yn cynnig canpunt i unrhyw un a arhosai yno i fwrw noson ar ei ben ei hun a rhoddi adroddiad llawn o bopeth a ddigwyddai, a gŵr ifanc o Ddyffryn Nantlle yn derbyn yr her yn afradlon o fentrus. Cyfaill iddo yn ei ddanfon i Fryncir ar fotor beic ar noson dawel o haf, ac er mwyn bod yn siŵr o'r arian yn symud temtasiwn oddi ar lwybr y dewr trwy fynd yn ôl adre ar ei fotor beic a mynd i'w wely. Rhywun cyfrifol o dan awdurdod y stad yno hefyd yn cloi'r drws o'r tu allan a sŵn y car yn gyrru i ffwrdd ac yn distewi yn y pellter. Y gwron, heb gryndod yn ei amrant na phetruster yn ei gam, yn cerdded o ystafell wag i ystafell wag ac yn chwerthin ynddo'i hun wrth feddwl y gallai neb fod yn ddigon o fabi i ofni gwegni a dim byd. Gwnaeth ei baratoadau ar gyfer y nos. Câi gysgu ar ôl gweld y wawr yn torri. Gwylio oriau'r tywyllwch yn unig a ofynnid, ac yr oedd gwely digon esmwyth wedi ei baratoi yn un ystafell. Yr oedd cadair a bwrdd ynddi hefyd, ac eisteddodd yntau i ddarllen wrth olau'r lamp a disgwyl o ddeg hyd un ar ddeg. Hanner awr wedi un ar ddeg. A chwarter i hanner nos. Gwenodd wrth sylweddoli iddo ddychmygu fod drws wedi ei agor a'i gau yn sydyn yn y llofft. Sŵn cerdded yn yr ystafell uwch ei ben. Llygoden fawr mae'n debyg, a phrin ei bod yn werth mynd i fyny i chwilio amdani. Drws yn clepian i fyny'r grisiau. Gwydr ffenestr wedi torri a'r gwynt yn tynnu mae'n siŵr. Pum munud i hanner nos. Sŵn arall. Tybed bod rhywun o gwmpas am ei ddychryn? Hanner nos oedd yr amser perygl yn ôl siarad pobl. Yr oedd yna sŵn tebyg i rywun yn . . Griddfan? Na, chwerthin. O'r gora 'ta, ella bod y stad wedi trefnu i gael cadw'r canpunt, ond y cwbwl oedd eisio oedd eistedd yn llonydd a chadw'i ben. Ysgrech wallgof. Dylluan siŵr iawn. Mae'r cloc yn dechrau taro hanner nos. . . .

    Yr oedd goruchwyliwr y stad a'r cyfaill efo'r motor beic yn bryderus drwy'r nos, ac erbyn pedwar o'r gloch y bore yr oedd wedi dyddio digon iddynt weld eu ffordd o gwmpas. 'Fu dim rhaid iddynt fynd i mewn. Yr oedd y drws mawr yn agored a'r heliwr ysbrydion yn gorwedd yn anymwybodol ar y trothwy a'i ddillad wedi eu rhwygo a chleisiau ar ei freichiau a'i gefn. Collodd y canpunt, ac ar ôl dod ato'i hun ymhen diwrnod neu ddau, gwrthododd ddweud gair am ddim a welodd nac a glywodd. Ymhen misoedd wedyn yr oedd wedi mynd i'r efail yn y chwarel ar neges. Lluchiodd y gof ddarn o gadwyn ato pan oedd ar ei ffordd allan a gofyn iddo'i rhoi i'w gyfaill yn y wal nesaf ato. Pan glywodd ei sŵn yn dod ato, gwyrodd i'w hosgoi a dychrynodd nes mynd i lewyg. "Fel dyn wedi gweld rwbath o fyd arall," meddai'r gof.

Gyda glannau afon Dwyfor mae'r ffordd yn mynd i fyny 'cwm tecaf y cymoedd'. Rhaid bod Eifion Wyn wedi cerdded y llwybrau hyn gannoedd o weithiau pan ganodd iddynt. Gellid dadlau a thaeru llawer am ramantusrwydd a rhamantiaeth y delyneg, a chondemnio a chanmol yn ôl fel bo'r gwynt beirniadol yn chwythu. Hwyrach i fab yr 'hen fugail' a fu'n sefyll â'i 'droed ar y talgrib lle tyr', lechu aml i gyda'r nos dan gysgod draenen ddu a gweld ei oriau yn llusgo mynd ac yntau mor bell o oleuni llachar bywyd ar strydoedd Porthmadog, wedi ei gladdu ym mherfedd Cwm Pennant. Ond rhamanted neu realed y beirdd yn ei gylch, mae Cwm Pennant yn dlws iawn. Ei droadau ydyw ei ddiddordeb mawr. Nid saethu i fyny fel gwaniad syth rhwng dwy res o fynyddoedd y mae, ond ymagor ac ymddatod o olygfa i olygfa, a phob un yn wahanol, a phob un er hynny yn rhan o unoliaeth y patrwm cyfan. Mae'n cychwyn yn gysgodol a choediog heibio Plas Bryncir, a'r tŵr yn y coed ar y dde, ond wrth fynd ymlaen mae'r coed yn mynd yn feinach ac yn fyrrach. Mae'n hawdd iawn bod eisiau bwyd wrth fynd ar grwydr i fyny'r cwm, a gellir troi i'r cae ar lan yr afon gyferbyn â llidiard Y Plas, a chael eistedd i fwyta ar fyrwellt esmwyth ar fin y dŵr, a'r afon yn llyfn fel gwydr. Mae'r coed yn gwyro drosti, ac yn y distawrwydd mae ambell fflach o arian yn cynhyrfu wyneb y dŵr wrth i frithyll neidio am fân bryfed. Lle diogel dioglyd ydyw glan afon ar wastadedd.

Yn fuan ar ôl gadael y gwastadedd mae'r ffordd yn troelli nes cyrraedd eglwys ar lan yr afon. Dyma Lanfihangel y Pennant. Mae clo ar y drws ac nid oes neb yn byw yn y Persondy, nac yn torri gwellt yn y fynwent. Waeth heb a stelcian, er tybio mai dyma ben draw'r Cwm ac na ellir mynd lawer ymhellach. Ond

mae'r ffordd yn troi i'r chwith am ychydig a chroesi'r afon ac
yna fynd heibio ysgwydd o graig a dringo'n syth heibio'r ysgol
a Thŷ'r Ysgol, ac oddi ar godiad tir yr ochr uchaf iddynt gwelir
y Cwm yn ymagor yn llydan drachefn. I lawr at gapel bychan,
a chroesffordd, ond peidio â throi am Rwng-ddwy-afon a Hafod
Garegog, ond mynd ymlaen trwy lidiart a thros bont arall ac yna
dros fryncyn bach ac unwaith drachefn i wastadedd agored. Ond
mae'r coed wedi darfod erbyn hyn, a 'dyma ni yno'. Dyma
esmwythyd moel y mynyddoedd yn feddal ei amlinell fel clustog
blu dolciog. Mae'r ffrydiau gwynion a allai 'dincial eu clychau
ar bwys y tŷ' yma. Bwrlwm yr afon a'i dŵr mor glir â'r grisial
gloywaf a phob carreg liwgar i'w gweld yn eglur ar ei gwaelod.
Brefiadau defaid a chyfarthiad ci o'r golwg yng nghilfachau'r
mynyddoedd. A'r distawrwydd.

Mae heddwch i'w gael yn nhawelwch Cwm Pennant. Nid
diddymdra na llonyddwch nac anghofrwydd, ond yr heddwch
sicr, tawel, a brofodd pobl sydd wedi byw yn agos i bridd y
ddaear ac wedi profi cyfrinachau gwyrthiau'r geni yn y Gwan-
wyn a chyfrinachau gwyrthiau'r marw yn yr Hydref, pobl sy'n
cael eu cloi gan aeafau a'u meddwi gan hafau. Mae'r heddwch ar
gael mewn llawer lle mae'n debyg. Mae Cwm Pennant yn
gyforiog ohono. Mae strydoedd syth Porthmadog yn ymddangos
ymhell iawn. Ond mae emyn Emrys yn ymyl, er gwaethaf 'y
palmwydd',

'Arglwydd gad im dawel orffwys
Dan gysgodau'r palmwydd clyd,
Lle yr eistedd pererinion
Ar eu ffordd i'r nefol fyd.'

Daeth tractor llwyd, newydd, i fyny'r ffordd ac aros tra
'roedd y gyrrwr yn agor y llidiard. Gŵr prysur ydoedd fel siopwr
ar ddiwrnod marchnad, ond yr oedd yn ddigon bonheddig wrth
natur i ddangos, "Blaen Pennant i fyny y ffordd acw, a Chwm
Trwsgl a'r Foel Lefn ylwch, a gyferbyn â chi yn y fan yna, Cwm
Llefrith a Cwm Meillionen. A welwch chi'r mynydd mawr yna?
Moel Hebog ydi hwn'na. A mae Beddgelert yr ochor arall i
hwn'na, meddan' nhw".

PENNOD III

Yn Eifionydd

Ar y groeslon lle mae ffordd Cwm Pennant yn dod yn ôl i'r ffordd fawr, yn ymyl Corsoer ar lan afon Dwyfor, saif eglwys fach Dolbenmaen. Mae porth hir a tho syth arno i fynd i mewn i'r fynwent, ac o boptu'r porth ac yn rhan ohono mae dwy ystafell i gadw'r elor ac offer y fynwent. Mae'r eglwys yn lân ac yn daclus, a'r fynwent, fel pob mynwent, yn llawn o hanesion trist. Mae rhywbeth afluniaidd mewn ywen wedi ei gadael i dyfu wrth ei mympwy ar fedd nes ei bod wedi ystumio haearn ymyl y bedd ac ysigo'r garreg. Ac wedi gwneud hynny wrth fyw.

Bryniau'r Tyddyn ac Ystumcegid sydd ar y chwith wrth fynd ar hyd y ffordd fawr i gyfeiriad Pen-y-groes a Chaernarfon. Ar y dde mae pentref Garndolbenmaen yn gorwedd ynghanol ysgythredd hyll o greigiau. Mae pentref Y Garn wedi ei gysylltu mewn llenyddiaeth ddiweddar wrth ddyddiau pwyllgor y ganrif ddwaetha gan atgofion Elisabeth Williams yn ei llyfrau *Brethyn Cartref* a *Siaced Fraith*, ac atgofion ei brawd, Dr. J. Lloyd Williams, yn *Atgofion Tri Chwarter Canrif*. Bu ei gŵr yn orsaf-feistr ym Mryncir, a bu hithau yn dysgu yn ysgol Cwm Pennant. Ymhen blynyddoedd wedyn aeth yn ôl i'r Garn am wyliau ac aeth ei dau frawd gyda hi un diwrnod am dro hyd rai o'r hen lwybrau. Buont eu tri yn gweld yr hen ysgol lle bu'r 'egsam' wnïo, a chychwynasant yn ôl ar ôl cael te yn Nhy'n Llan. A dyma ddechrau paragraff olaf *Y Siaced Fraith*:

'Ac yn awr rhaid troi cefn ar yr hen Gwm, a cherdded ar hyd llawr y Cwm trwy Ddolbenmaen ac yn ôl i'r Garn. Dyma'r tro olaf i William, Hugh a minnau wneud y daith gyda'n gilydd. Nid oeddwn i fy hun wedi cerdded dros y Bwlch ers ymhell dros dair blynedd a thrigain. Gwyddwn na ddringwn mwyach i ben y Moelfre, ac wrth ddweud ffarwel iddo y diwrnod hwnnw a'i adael yn ei harddwch a'i unigrwydd, daeth i'm cof eiriau Eifion Wyn . . .'

Dr. J. Lloyd Williams oedd Prifathro ysgol y Garn, ac i'w gynorthwyo ef y daeth Elisabeth yma gyntaf. Yr oedd bri mawr ar ganu a cherddoriaeth yn yr ardal fel y gellid disgwyl a cherddor oedd i ddod mor enwog yng Nghymru yn byw yno.

Mae'r mart anifeiliaid eang ym Mryncir yn lle digon diddorol erbyn heddiw, a chyrchir yma o bellter Aberdaron a Nefyn. Cymraeg graenus sydd ar wefusau y rhan fwyaf o'r ffermwyr sy'n gwerthu gwartheg, yn lloiau a heffrod, bustych a dynewid. Saesneg mwngrelaidd ydyw iaith amryw o'r prynwyr, ac ambell arwerthwr tafodrydd yn dal y ddysgl yn wastad trwy lefaru mor wyllt â chyfrif llyfrithen yn y gymysgfa ryfeddaf o'r ddwy iaith. Peth tila iawn ydyw dychymyg bardd o'i gymharu â dychymyg arwerthwr wedi iddo gael ffrwyn ar ei war. Mae arwerthwr yn y cyflwr hwnnw yn ddyn a fedr godi uwchlaw cyffredinedd yr aroglau tail yn y ring o'i gwmpas, a phlygu ymlaen ar astell ei bulpud pren i ganmol rhinweddau hwch sy'n turio yn ddiamcan yn y slwts, a gorffen ei ruthr geiriol trwy ostwng ei lais a dweud gyda sicrwydd argyhoeddiad a serch at wrthrych ei ddisgrifiad, 'Mae hon yn hwch â chymeriad ganddi hi!' Rhaid bod gan yr hen hwch ei hunan ryw sicrwydd moesol cryf hefyd i fedru peidio â chodi ei llygaid gymaint ag unwaith mewn swildod at y gynulleidfa wrth glywed y fath ganmol arni hi rhagor na llawer o'i chwiorydd llai ffodus a lithrodd. Yr unig beth a allai ddad-rithio'r gynulleidfa a gyfareddwyd i edmygedd fuasai sylweddoli y gallai cymaint rhinwedd mewn hwch olygu syllau lawer yn fwy o gomisiwn am ei gwerthu.

Tua milltir y tu draw i Fryncir, ar y dde wrth fynd am Bant-glas, mae carreg ddiddorol yn iard ffarm Llystyn-gwyn. Carreg o'r chweched ganrif ydyw ac arni ysgrifen mewn Lladin yn nodi, 'Icorix mab Potentinus', ac y mae arni hefyd gerfiad Ogam, sef y dull Gwyddelig o ysgrifennu trwy ddynodi llythrennau â bylchau a llinellau ar ymyl y garreg. Yr oedd y cerrig hyn yn cynnwys yr ysgrifen mewn Lladin ac Ogam, a cheir hwynt ar arfordir y Gorllewin o'r cyfnod pan oedd yr iaith yn Wyddelig.

I ddilyn ffordd y porthmyn cyfoes yn ôl i Lŷn, rhaid troi'n ôl o Fryncir a rhodio neu foduro ar hyd y ffordd fawr am groes-ffordd Glandwyfach. Saif y gwesty ar y chwith i'r ffordd ychydig

lathenni cyn cyrraedd yr efail a'r groesffordd. Yno y bu dau
chwarelwr oedd wedi troi i mewn i dorri eu syched ar eu ffordd
adref o Ffair Gricieth yn nau ddegau'r ganrif hon, yn rhyfeddu
wrth weld poster i hysbysebu Cwrw Melyn Bach wedi ei argraffu
yn Gymraeg ac yn eu cynghori, 'Os am gwrw da mewn cyflwr
clir grisialaidd, mynnwch . . ', ac enw'r cwrw arbennig yn dilyn.
Diau i'r ddau dderbyn cyngor a chymaint o apêl i gorn gwddw
llychlyd ynddo. Dal i'r dde wrth yr efail a phasio pen y ffordd
groes sydd yn arwain i Eifionydd heibio i Felin Llecheiddior a'r
Plas, ac yna mynd trwy bant wrth Benarllygad ac i fyny i was-
tadedd o rosydd agored. Draw dros y caeau i'r chwith mae afon
Dwyfor, ac yn y gwastadedd ar y dde mae afon Dwyfach. A
dyma'r lle,

> Draw o ymryson ynfyd
>   Chwerw'r newyddfyd blin,
> Mae yno flas y cynfyd
>   Yn aros fel hen win.
> Hen, hen yw murmur llawer man
> Sydd rhwng dwy afon yn Rhos Lan.

Yr oedd dau dŷ Y Foty, sydd â'u talcen i'r ffordd, yn nod-
weddiadol o dai gweithwyr ardaloedd gwledig. Cegin a pharlwr,
un o boptu'r drws ffrynt, a darn cefn y parlwr wedi ei gau allan
i fod yn fwtri neu bantri. Tair ystafell wely uwchben. A'r
bathrwm? Allan yng nghornel y cowrt mewn dysgl enaml ar
ben bocs corn biff wedi ei droi ar ei dalcen, ac aroglau blodau
gleision y goeden Pedwar Ban y Byd yn gymysg ag aroglau
sebon-ogla-da pinc. Er nad oedd llawer o foethau'r byd o gwmpas
teulu gweithiwr yn byw mewn tŷ fel hyn, yr oedd aml un
ohonynt, a'r Foty yn eu mysg, yn gyforiog o hapusrwydd magu
plant ac ymladd i fyw. Mae'r Tai Cyngor golygus sydd wedi eu
codi erbyn hyn ar y chwith i'r ffordd yn is i lawr yn llawer
crandiach nag y bu lleoedd fel Y Foty erioed, a siawns nad aeth
y bodlonrwydd a'r hapusrwydd allan wrth i'r peiriannau golchi
a'r setiau teledu fynd i mewn.

Pe troid i'r rhosydd cyfagos i hel llygeirion neu i chwilio
am rug gwyn, gellid yn hawdd iawn fynd heibio i gapel yr

Annibynwyr heb sylwi arno, a byddai yn resyn i hynny ddigwydd i gapel Rhos-lan ac enw Robert Jones mor annwyl gysylltiedig â'r ardal. Yma y bu awdur diddorol *Drych yr Amseroedd* yn gweithio yn ddyn ifanc ym mlodau ei ddyddiau. Oddi yma, o Dir Bach efallai, y cychwynnodd ar aml i daith i gynghori neu addysgu neu bregethu, a dyma erwau'r ddaear a roes ddeunydd i'w ddychymyg i groniclo a chadw profiadau ysgytiol y Diwygiadau mewn hanes ac emyn. Troes llawer llaw grynedig dudalennau *Grawnsypiau Canaan* i ganfod ynddo brofiadau crefyddol annelwig wedi eu crisialu mewn emynau, ac erys ambell ddisgrifiad o ddigwyddiad neu olygfa o *Ddrych yr Amseroedd* mor fyw heddiw â'r dydd yr ysgrifennwyd hwy yn 1820. Mae'n wir mai yn Nhy Bwlcyn yn y Dinas yn Llŷn yr oedd Robert Jones, yn hen ŵr pan ysgrifennodd yr hanes rhwng y ddau gymeriad, Ymofyngar a Sylwedydd, ond â Rhos-lan y cysylltir ei enw. Mae stamp cywirdeb diymhongar ar bob tudalen o'r *Drych*. Ar ddiwedd ei Ragymadrodd dywed Robert Jones,

'Os bernwch fy llafur gwael hwn yn deilwng o dderbyniad, darllenwch ef, a'ch plant ar eich ôl; o wneuthur felly cewch achos i ryfeddu daioni yr Arglwydd tuag atom ni y Cymry tlodion, yn enwedig yn yr oes bresennol. Ac wrth eich gadael erfyniaf ar yr Arglwydd, y'ngeiriau y ddau ddysgybl, "Aros gyda ni; canys y mae yn hwyrhau a'r dydd yn darfod".'

Ond er ei bod 'yn hwyrhau', ni chollodd yr hen gyfaill ei allu i ryfeddu at wyrthiau crefydd. A diolch iddo, ni chollodd ychwaith ei allu i sylwi ar ei gyd-ddynion yn ddrwg a da, ac os brithir tudalennau'r *Drych* gan gyfeiriadau at fawrion crefydd Cymru, mae Dorti Ddu a Pherson Llannor yno mor fyw â hwythau.

Mae llawer lle diddorol yn Rhos-lan a'r 'murmur' yn aros o'u cwmpas o hyd, ond collir hwynt wrth deithio'r ffordd fawr, ac er cymaint y demtasiwn i adael ei hundonedd a throi ohoni yr ochr isaf i'r Gwigau ar ôl pasio'r capel ar hyd ffordd bach fel pictiwr sy'n dod allan ger Llanystumdwy, gadawai hynny gornel ddiddorol o Eifionydd ar ôl. Ar y dde wrth y caban teliffon y mae'r ffordd honno i'r neb a'i myn, heibio i Dyddyn Cwcallt a ddenodd Harri Gwynn o Lundain i Eifionydd. Yma y clywodd symudiad cyntefig mewn hen rithmau gwlad a wnaeth iddo ganu pethau fel,

> Derfydd, derfydd storm a hindda.
> Derfydd helbul hau a chnaea,
> Ac ni ddaw'n ôl i ffridd na dôl
> Y rhai a'u triniai am y gora.

Pe dilynid y ffordd bach deuid allan heibio'r Gwynfryn, hen blasty teulu'r Nanney sydd erbyn hyn yn gartref urdd Babyddol. Yr oedd gan Cybi lawer o straeon diddorol am yr hen Fajor Owen Jones Ellis Nanney.

'Toc wedi pen tymor, cyfarfu'r Major â'i Gertmon newydd, heb fod nepell o'r Gwynfryn, yr hwn nad adwaenai mo'i feistr, ar yr hwn yr oedd golwg hynod wladaidd ar y pryd. "Wel," ebe'r Major wrth ei was newydd,—"Lle'r ydach chi'n gweini ys gwn i?" "Hefo'r Nanna' na," ebe'r gwesyn plaen. "Eisio gwaith o'dd arna i." ebe'r 'Nanna'; "tybad y cawn i ddiwrnod gyno fo?" ebe'r cadno wedyn. Bore drannoeth, pwy welai'r gwas yn nrws ffrynt y Gwynfryn, ond yr hwn a welsai'n ymholi am waith.'

Ond peidio â throi wrth y caban teliffon sydd raid os am ddilyn y ffordd fawr. Ac yn wir y mae honno fel pe bai am geisio gwneud iawn i'r sawl a'i cerddo wrth iddi droi dros bont Rhyd y Benllig a throelli trwy ambell lwyn o goed am Gricieth.

Rhed y goriwaered o wastadedd Eifionydd at lan y môr yn weddol syth, a deuir i Gricieth i lawr rhiw sy'n troi tipyn ôl a blaen i esmwytho'r rhediad heibio Brynawelon, cartref y Fonesig Megan Lloyd George ar y dde. Mae Cricieth wedi mynd dipyn yn ôl yn y byd bwrdeisdrefol yn ddiweddar yma. Rhyw fynd a dod fu ei hanes erioed o ran hynny. Un o olion mawredd ei gorffennol ydyw gweddillion y castell fel corcyn potel inc ar ben bryncyn a'r tai yn swatio o'i gwmpas yn y cysgod ar y gwastadedd wrth y traeth. Mae'r llethrau y tu ôl yn frith o dai mawr, a thai bonheddig, a thai crand—rhai yn ofnadwy o hen ffasiwn wedi bod yn fodern tua phum mlynedd ar hugain yn ôl, a'r lleill yn eu fflamgoch a'u gwynlas yn dal eu tir yn rhyfedd, a'r tai diweddar a'r rhai sydd yn cael eu hadeiladu y dyddiau yma yn ymddangos fel pe bai pensaerniaeth wedi dod at ei choed ac

9. Cwm Pennant.

10. Cricieth.

11. Llangybi.

wedi adnewyddu. Gwnaeth yr hafota blynyddol gan Saeson cyfoethog ei ôl ar Gricieth yn fuan ar ôl adeiladu'r rheilffordd, ac enillodd gryn hunan hyder sydd yn aros yma o hyd. Bu amryw o deuluoedd cefnog a dylanwadol o gymorth i gadw'r urddas honedig hwn, ac er bod y carafanau yn ymestyn eu sglein i'r cilfachau, eto mae yma gnewyllyn o gymdeithas wreiddiol sy'n llawn o hyder sicr yn ei bodolaeth ei hunan. Gellid ei gamgymryd ar yr wyneb am snobeiddrwydd.¶

Mae digonedd o ddeunydd i haneswyr yng Nghricieth a digon o le i ramantu hanes hefyd. Tebyg i'r gaer fod yn rhan o ryw linell gynnar i amddiffyn yr arfordir a'i bod mewn cyflwr digon cadarn a diogel i Lywelyn Fawr anfon ei fab Gruffudd yno i'w garcharu ar ôl helynt Siwan a William de Breos. Beth ddaeth o ymffrost yr Arglwydd Gruffudd wrth ei dad ar ôl i'r bolltau a'r clo gau arno yng Nghricieth tybed?

> . . . . Ond nid â mur
> Na gwyliadwriaeth milwyr y gelli di
> Gaethiwo f'enaid; 'rwyf wedi rhannu hwnnw
> Yn rhodd i eraill, ac fe bery'n her
> I'th drawster di, i'th falchder a'th gam-farn.

Ymhen blynyddoedd wedyn yr oedd Syr Hywel y Fwyall yn byw yn y castell ac yn ei lywodraethu am iddo warchod buddiannau brenin Lloegr yn Ffrainc. Ail-godwyd y castell a'i atgyweirio gan Edward y Cyntaf ond rhaid wrth gryn ddychymyg i'w weld yn debyg i gastell Caernarfon neu gastell Biwmares. Yn sŵn a miri diwrnod ffair yn nechrau haf mae atgof o'r hen ffeiriau, ac ni chollwyd dim o frwdfrydedd y dyrfa nac o ddawn y gwerthwyr llestri ac India Roc.

Heibio Bron Eifion ar hyd y ffordd fawr eto, a phasio ffermydd fel Ynysgain ar y chwith, a buan y deuir i bentref bach Llanystumdwy a'i bont gul dros afon Dwyfor. Ymledodd yr afon erbyn hyn ac arafodd er mwyn bod yn fwy teilwng o'r pysgotwyr gweddgar sy'n medru fforddio stelcian hyd ei glannau a dal ambell siwin a samon. Adeilad diddorol y pentref ydyw capel gweddol newydd wedi ei gynllunio gan y pensaer Clough Williams-Ellis ar ôl i'r hen gapel oedd yr ochr arall i'r ffordd gul rhyngddo a'r afon fynd ar dân. Bu murddun llosgedig yr hen gapel yno nes i fieri hirion dyfu trwy'r tyllau gweigion lle bu'r ffenestri. Mae creirfa a elwir yn 'Amgueddfa' a allai fod o ddiddordeb i Brydeinwyr ar y tro cyn cyrraedd y bont, ac ar y ffordd gul sydd yn cychwyn gyda glan goediog yr afon ac yn mynd yn ôl i Eifionydd, mae bedd David Lloyd George.

Cymro diddorol a gysylltir â Llanystumdwy oedd Owen Gruffydd, un o feirdd olaf yr hen draddodiad. Cyfeirir at Owen Gruffydd gan Robert Jones, Rhos-lan, yn *Nrych yr Amseroedd*, lle dywedir ei fod yn 'brydydd canmoladwy yn ei oes'. Collodd yr hen fardd ei noddwr pan aeth yr Esgob Humphreys o Fangor a chanodd lawer o'i hiraeth ar ei ôl. Mae'r tristwch sydd bob amser mewn cyfnewidiadau yn hanfod cymdeithas i'w gael yn llawer o ganu Owen Gruffydd, a'r chwithdod o weld darfod am yr hen nawddogaeth a'r haelioni. O'i sylwadaeth ar ei fro ei hunan y cafodd ddefnydd llawer cymhariaeth ddiddorol a llawer gair byw,

> Blin, blin,
> Poen arw'r hen, pan oero'r hin,
> A'i druan grwth fel derwen grin,
> Heb neb a'i trin un tro;
> Trwm hiraeth swrth i'm mynwes sydd,
> Am bendefigion, fwynion fudd,
> O waith Duw gwyn a aeth dan gudd,
> Gwn, lawer grudd i'r gro;
> A minnau sydd a'm heinioes wael,
> Mewn oerder hin am wyrda hael,
> Dan amau eu cael nid a o'm co.

Claddwyd yr hen fardd ym mynwent eglwys Llanystumdwy gerllaw yn sŵn afon Dwyfor ac englyn ar garreg ei fedd,

> Dyma fan syfrdan y sydd,—oer gload
> Ar glau wych lawenydd,
> Cerdd a phwyll, cywir dda ffydd,
> Awen graff Owen Gruffydd.

Ar ôl gadael y pentref, ac efallai droi yn ôl i edrych arno yn ei gilfach goediog oddi ar ben yr allt, eir i lawr allt Tyddyn Sianel at y Bont Fechan a'i thro peryglus dros afon Dwyfach. A dyma'r 'ddwy afon' yn cyfarfod ei gilydd i orffen eu siwrnai i'r môr ar hyd yr un gwely. Heibio i fferm Glan Llynnau at Ben-y-groes,—Pen Groes Afon Wen, er mwyn ei wahaniaethu mae'n debyg oddi wrth Ben-y-groes Llanllyfni. O Lan Llynnau byddai gwedd o geffylau yn mynd i Breimin Nefyn a Phreimin Pwllheli, a sglein eu bacsiau a'r plethiad raffia yn eu mwng a'u cynffonnau yn ddigon i godi glaslanciau Chwilog a'r cwmpasoedd yn gynnar yn y bore i'w gweld yn pasio. Fferm ddiddorol i aros ynddi yn ystod gwyliau haf fyddai Llwyn Annas, lle mae'r ffordd bost yn torri ar draws y Lôn Goed enwog, y ffordd odidog a adeiladwyd yng nghyfnod y beirdd gan Mr. Maughan, goruchwyliwr stad Mostyn. Yr oedd ffermio ar drothwy'r mecaneiddio yr adeg honno. Y gwŷdd main a'r ffust a'r cryman medi wedi mynd, a'r tractor a'r combein a'r bwldosar heb gyrraedd. Yr oedd yn rhaid ymladd i fyw o hyd, a sicrwydd hawledig ein dyddiau ni heb gyrraedd, ac os oedd llafn o hogyn o lethrau'r mynyddoedd am ennill cydwybod dawel at amser noswyl byddai gofyn iddo ddechrau yn y bore. Aroglau canol haf, a'r gwlith newydd godi wrth adwy'r cae tatws. Cymysgedd o aroglau blodau yn y gwrychoedd ac aroglau gwlydd yn edwino, ac aroglau'r pridd ei hunan. Y rhesi pys unionsyth ar hyd y cae wedi eu pricio yn daclus. "Bydd di yn ofalus 'y ngwas i a phaid â thynnu'r coed o'r gwraidd." Gwres yr haul yn cynhesu'r cefn yn ei gwman. Diolch am gael sythu am funud i fynd â phwcedaid arall i'r bag lliain gwyn ym mhen y rhes ac i bwyso'r bag ar y stiliwns hir. O'r diwedd, hanner canpwys ymhob un o'r ddau fag a sibrwd gwichlyd codau pys gleision yn rhwbio yn ei gilydd ar sêt y bws ar hyd y ffordd i Gricieth. Ond byddai hamdden gyda'r nos. Hamdden i fynd i wagsymera hyd y Lôn Goed i fyny at gapel Engedi neu i lawr i Afon Wen a gwybod bod ynddi rywbeth arbennig iawn, ond heb wybod mai,

> . . . llonydd gorffenedig
> Yw llonydd y Lôn Goed,
> O fwa'i tho plethedig
> I'w glaslawr dan fy nhroed.
> I lan na thref nid arwain ddim,
> Ond hynny nid yw ofid im.

Neu hamdden efallai i fynd i ganlyn gweinidog parchus gyda'r
Hen Gorff, sydd erbyn hyn yn athro coleg, i saethu cwningod, a
gorfod dysgu cerdded yn ddistaw y tu ôl iddo. Ei wylio yn codi'r
gwn yn llechwraidd gyda chilbost adwy, anelu ar hyd ei ffroen,
y pwff o fwg gwyn, a'r fflach o fuddugoliaeth ddireidus yn pefrio
yn y llygaid tywyll. Rhyfedd na fyddai modd cofio am ryw am-
genach dywediad o eiddo'r gŵr parchedig na'r rhigwm Saesneg
o eiddo rhyw deithiwr ar y bws olaf o Gaernarfon i Ddeiniolen
ar nos Sadwrn a ddyfynnai,

> Punch brother punch,
> Punch with care,
> Punch in the presence of the passengare.

A meddwl bod holl gyfoeth llenyddiaeth emynyddol Cymru at
ei wasanaeth.

Wrth y bont cyn cyrraedd y pentref yn Chwilog mae rhes
o bympiau petrol lliwgar erbyn hyn. Yng ngefail y Pandy yr
oedd Myrddin Fardd yn gweithio. Prentisiwyd ef yng ngefail
Plas Hen heb fod ymhell a setlodd wedyn yn Chwilog. Un o
Langian oedd Myrddin, yn fab i John ac Ann Owen, Tan-y-
ffordd. Bu'n mynd i ysgol y Foel Gron ym Mynytho, ac yn
Eisteddfod Genedlaethol Caernarfon enillodd y wobr am ei lyfr
ar *Enwogion Sir Gaernarfon*. Mae rhyw urddasolrwydd barfog o
gwmpas y chwilotwr hwn yn y darlun ohono sydd gan Cybi yn ei
gasgliad o straeon am *Gymeriadau Hynod Sir Gaernarfon*, ac y
mae teitlau, a hyd yn oed rwymiadau ei lyfrau yr un fath.
Pethau fel *Adgof Uwch Anghof*, *Cynfeirdd Lleyn*, ac yn arbennig,
Gleanings From God's Acre. Mae ei fedd ym mynwent Chwilog.
Yno hefyd y mae bedd Eifion Wyn a ganodd gymaint wrth fodd
calon ei oes ei hun, ac a brofodd rin ei fro a throi ei brofiad yn
etifeddiaeth i'w genedl. Prifathro ysgol Chwilog oedd Mr. E. D.
Rowlands pan ysgrifennodd *Prif Feirdd Eifionydd*, ac y mae aw-
grym gogleisiol yn y 'Prif' yn y teitl. Efallai bod pawb yn
Eifionydd yn fardd ond mai gweithiau y prif rai a groniclir.

Rhed ffordd unionsyth lydan trwy ganol pentref Chwilog i
gyfeiriad Rhydygwystl a'r Four Crosses. Yn Rhydygwystl y
mae'r 'ffatri' laeth, cartref a gwarchodfa y cannoedd tanciau sydd
â'u hwynebau wedi dod mor gynefin wrth iddynt sefyll ar eu

12. Y Gaerwen.

13. Capel y Beirdd.

14. Y Lôn Goed.

llwyfannau ar y croesffyrdd ac wrth lidiardau ffermydd yn y bore i ddisgwyl i'r lori ddod i'w cyrchu. Fel doliau mawr metel, a lebal ar eu talcen a'u dwy glust i fyny yn noethion yn rhewynt y gaeaf, mor eiddgar â phlant wedi gwneud eu tasg yn disgwyl bws i fynd i'r ysgol. Mae'r ddau gan gwag fydd wedi eu lluchio ar eu hochrau i'r ffos yn eu lle yn bethau digalon braidd ar ddiwedd pnawn dyddiau byrion diwedd y flwyddyn. Fel gwehilion wedi eu gadael yn ddiymgeledd nes dod o ryw ffarmwr clên heibio a mynd â nhw adre a rhoi ei enw arnyn'nhw nes eu bod yn llond y llwyfan drachefn fore drannoeth, yn barod i wynebu holl demtasiynau'r ffatri fawr â'u clustiau i fyny'n syth bin.

Yn lle mynd i'r Ffôr eto, mae'n well troi i'r dde o'r ffordd fawr a dilyn ffordd groes i bentref Llanarmon. Mae'r wlad yn lled goediog a'r gwrychoedd yn llawn ac yn frigog iawn yn yr haf. Cymhlethdod ydynt o ddrain a gwyddfid, mieri ac eiddew, a digon a fân flodau a llysiau â'u blerwch yn batrwm o liw a ffurf. Mae dwy neu dair o fân ffyrdd yn cyfarfod ger yr eglwys yn Llanarmon, ac ar gyda'r nos braf yn yr haf yr oedd fan fara a fan nwyddau wedi aros y tu allan i'r ffermdy sydd gyferbyn â phorth yr eglwys. Mae'r faniau modur sy'n gwerthu o ddrws i ddrws wedi dod yn rhan gyffredin iawn o gefndir bywyd masnachol cefn gwlad, ac er mai yng nghanol Eifionydd y mae Llanarmon, yn neilltuedd yr heddwch, yr oedd y faniau yno wrth lidiard buarth y fferm, a'r ffermwr a'i deulu allan yn prynu mor duniog a photelog â phe byddent yn sefyll wrth y cownter mwyaf disglair o aliwminiwm yn y wlad. Profiad braf oedd cael troi trwy borth yr eglwys ac i fyny'r llwybr at y drws. Saif yr adeilad ar ychydig o godiad tir, a thu allan i'r drws yr oedd manylion am elusennau yn perthyn i'r plwyf, a thu mewn i'r eglwys yr oedd y glanweithdra a'r taclusrwydd sy'n gweddu i le o addoliad a defosiwn. Mae rhywbeth chwithig iawn mewn tamp a llwydni yng nghyntedd capel neu ar furiau eglwys, ac yn yr aroglau clos, mwll sydd yn y lleithder. Nid oes eisiau fawr o ddychymyg i weld eneidiau yn crebachu yn y fath awyrgylch. Ond yr oedd Llanarmon yn iachusol lân y gyda'r nos honno o haf a'r haul wedi gwyro fel un i edrych i mewn trwy'r ffenestri. Yn ôl allan drachefn, a'r awyr yn llawn o aroglau melys afalau cynnar yn

D

aeddfedu. Y faniau wedi mynd i'w hynt, a'r distawrwydd yn ôl dros yr eglwys a hen adeilad yr ysgol wrth ymyl.

Y mae dewis o ffyrdd a llwybrau i'r sawl fyn grwydro yn Eifionydd. Y demtasiwn ydyw aros, gan fod i bob tŷ a fferm o'r bron gyfrolau diddorol o hanes ym mhlygion eu gorffennol. Rhwng ffyrdd culion y cloddiau pridd mae'r ffermydd yn gwilt bratiog ar esmwythyd y wlad, ac y mae'r plisgyn rhwng heddiw a ddoe cyn deneued yma ag mewn unrhyw ran o Gymru. Mae o Lanarmon i Langybi mor gyforiog o atgofusrwydd nes ei bod yn hawdd credu mai yma y mae calon 'y tawel gwmwd hwn'. Dyma'r wlad yr hiraethodd Pedr Fardd amdani pan oedd ar grwydr ymhell o'i fro,

> Fy hen serchog, fryniog fro,
> Ni chaf ond prin ei chofio,
> Aeth y Garn ymaith o gof,
> Brynengan bron i angof;
> Ac nid oes am oes i mi
> Un gobaith am Langybi.
> Fy enaid am Eifionydd
> Mewn hiraeth ysywaeth sydd.

A phwy welai fai arno am hiraethu am y fath dawelwch.

Mae pentref Llangybi fel pe bai wedi tyfu i'w batrwm o gwmpas ei eglwys yntau. Nid oedd cystal graen arni ag ar eglwys Llanarmon am fod offer yr atgyweirwyr ynddi, yn blanciau llychlyd a sgaffaldiau blêr. Mewn cornel neilltuedig, a llwch calch yn drwm arni, yr oedd cadair Eisteddfod yn edrych yn gwbl allan o'i lle yn yr eglwys. Yr oedd tipyn o gryndod yn y cerfio oedd arni i ddweud ei hanes, a'i bod wedi cychwyn ei gyrfa yn 'Eisteddfod Gwyr Ieuangc Nefyn 1909'. Ac eto mae'n debyg iawn bod yr hen gadair wedi dal tywydd y blynyddoedd yn well o lawer na'r 'gwyr ieuangc', a bod mwy o gadernid yn ei chymalau hi nag sydd yn eu cymalau hwy erbyn hyn. Peth rhyfedd iddi gael lloches yn Llangybi. Ond wedyn, dyma Eifionydd y beirdd. Yn ymyl yr elusendai a gerllaw'r tŷ lle'r oedd Cybi yn byw, y mae camfa dros y wal i'r fynwent a myneg-bost yn dangos y ffordd i Ffynnon Gybi. Rhed y llwybr igam ogam i osgoi twmpathau'r beddau a thros gamfa arall yn y gornel bellaf ac yna i lawr llethr syth gyda chlawdd cae i fachigyn o ddyffryn mewn hafn yng nghysgod craig. Mae rhybuddion y Comiswn Hynafiaethau o gwmpas, a'r ochr arall i'r bompren sy'n croesi ffrwd bach o afon mae murddun o hen adeilad, a'r tu fewn iddo y ffynnon ei hunan a grisiau o gerrig llyfn i fynd i lawr iddi o bedair ochr.

Yr oedd Ffynnon Gybi yn lle prysur y noson honno o haf. Yr oedd geneth ifanc yn dod drwy'r llidiard ar ôl croesi'r bompren a phiseraid o ddŵr yn ei llaw, ac yr oedd gŵr byr, trwsiadus glandeg yn ei chyfarfod ar ei ffordd at y ffynnon. Arhosodd y ddau am funud wrth y llidiard i sgwrsio,

"Dydi hi'n sobor hogan?"

"Ofnadwy. Diolch nad oes gyn'non ni ddim gwartheg ynte. Be sy' wedi digwydd deudwch?"

"R'wbath wedi torri. Ddaw yna ddim 'fory eto medda nhw."

Nid oedd yn anodd iawn i grwydrwr ymuno mewn sgwrs ddisgwylgar fel hyn, yn enwedig gan i gymal olaf y frawddeg gael ei ddweud fel hanner cwestiwn, ac ar ôl i'r eneth droi ei chefn a mynd i fyny'r llwybr, buan iawn yr oedd manylion y stori i'w cael.

"Yr hen waith dŵr yna sy' wedi torri eto. Prin mae 'na wsnos yn mynd heibio yr ha' 'ma nad oes yma ddiffyg dŵr am dd'wrnod fan leia."

"Dŵr Cwmstradllyn ydi o?"

"Ia i fod. Ma' nhw'n deud ma ryw beipan tua Phencaenewydd 'na sy wedi torri. Ond mi dyffeia i nhw bod yna ddigon o ddŵr yn yr hen giamp 'na."

Yr oedd gan y cyfaill hwn stôr o wybodaethau diddorol am y ffynnon.

"Dowch i mewn y ffordd yma. Tendiwch y step 'na. Digon o ddŵr ylwch, a meddwl ei bod hi mor sych. A dŵr ardderchog ydi o rhagor na'r hen ddŵr peipia yna."

A dyn ardderchog oedd y dyn hefyd. Nid oedd eisiau dweud dim ond 'Ia', ac 'O' a 'Felly' i'r sgwrs garlamu ymlaen.

"Dowch chi drwadd i'r fan yma rŵan, Mae yn fan'ma weddill o'r hen dŷ ylwch. Dwad â chleifion yma i 'molchi byddan' nhw

wyddoch chi. Wedyn welwch chi'r ôl lle'r oedd y llofft yn y
parad yna? Wel mi fyddan' yn eu rhoi nhw mewn plancedi
poethion yn 'u gwely wedyn rhag iddyn nhw gael annwyd ag
iddyn' nhw gael chwysu'r drwg allan."

Ymlaen â'r sgwrs am gydnabod, a chynnwys disgrifiad byw-
graffyddol o rai o'r trigolion wrth iddynt ddod i lawr ar hyd y
cae at y ffynnon, ac yr oeddym yn bump yn ymlwybro'n ôl fel
mintai fach ddwyreiniol gyda'i llestri dŵr ar derfyn hirddydd haf.
Arhosodd yr arweinydd wrth garreg fedd yn y fynwent,

"Dewi ylwch," meddai.

Ac yno wrth ochr yr eglwys, ac yn ymyl y llwybr y mae
carreg fedd David Owen, Dewi Wyn o Eifion. Yma yn y fro
hon y profodd ei hapusrwydd a'i lawenydd, ei siomiant a'i chwerw-
der. Wrth gerdded ar hyd y llwybrau hyn y gweodd ei batrymau
o eiriau yn gynganeddion. Hwyrach fod rhyw fath o feddwdod
geiriol ar y bardd yn ôl safonau y dyddiau cwta hyn, ond y mae
ambell linell o'r miloedd wedi byw ac wedi mynd yn rhan o
eiddo'r genedl. Efallai mai dyna a barodd i'r cydymaith ddweud
yn feddiannol uwchben ei fedd, 'Dewi ylwch'. Gweithiwr ar y
ffordd, un o braidd y Cyngor Sir, oedd y cydymaith cyn iddo
ymddeol, ond dichon ei fod yn ddigon hen i gofio byd gwahanol,
ac i ddeall o amgenach profiad ystyr llinellau poblogaidd fel,

> Aml y mae yn teimlo min
> Yr awel ar ei ewin;
> A llwm yw ei gotwm, gwêl;
> Durfing i'w waed yw oerfel.
> Noswylio yn iselaidd,
> A'i fynwes yn bres oer braidd.
> Ba helynt cael ei blant cu
> Oll agos â llewygu.
> Dwyn ei geiniog dan gwynaw;
> Rhoi angen un rhwng y naw.
> Edrych yn y drych hwn dro
> Gyr galon graig i wylo;
> Pob cell a llogell egyr,
> A chloeau dorau a dyr.

Elis Owen, ei gymydog o Gefn y Meysydd a ganodd englynion ei feddargraff,

> Dyma fedd, diwedd Dewi—Wyn Eifion,
> Ofydd y barddoni;
> Arwraidd fardd Eryri,
> Ac amen ei hawen hi.

Rhaid oedd gadael y cwmni yn Llangybi er mor ddiddorol ydoedd. Rhuthrodd moto beic heibio trwy ddistawrwydd y gyda'r nos. Dywedodd y cydymaith fod 'yr hen betha yma yn beryg bywyd', a diolchodd fod y dafarn dros y ffordd i lidiard y fynwent wedi cau ers blynyddoedd. Tueddai i ganmol gwaith y Clwb Ffermwyr Ieuainc ac i'w edmygu, a rhwng popeth yr oedd y sgwrs yn dal i fyrlymu ymlaen mor ddi-baid â gofer ffynnon.

"Lle 'r ewch chi rŵan?" meddai.
'Roedd yn anodd gwybod.

"Wel peidiwch â mynd yn eich ôl y ffordd yna' ne mi ewch odd'ma, a mi ddylach fynd i weld ffarm Dewi a stesion Yr Ynys a'r Capal . . . " ac aeth ymlaen i enwi diddordebau'r cylch fesul un, a gorffennodd trwy ddweud,

"Ond mae'na r'wbath ymhob man."

Gan fod yr haul a'r awyr a'r diwrnod yn rhoi yr oedd yn hawdd derbyn yr awgrym i 'beidio â mynd odd'ma', ac felly ymlaen heibio i'r Gaerwen, fferm Dewi Wyn, a'r Gaerddu, a dod ar draws y Lôn Goed drachefn fel hen gydymaith wedi bod ar goll.

Lle bach 'dinad nam' iawn yw Yr Ynys a'r ffordd yn croesi'r lein a heibio'r tŷ tal gyda'r enw Saesneg trofannol hyll, 'Congo House'. Mae Capel y Beirdd ar y dde. Yma y deuai Dewi Wyn a'i gyfoeswyr i addoli ar y Sul. Yma y gwelai ei gymydog o'r Betws Fawr, ac mae'n werth cofio mai yma y gwelodd y Robert Williams hwnnw o'r Betws Fawr, Robert ap Gwilym Ddu, y gwrthrychau a'r sylweddau a droes yn gyfryngau mynegi profiad yn ei ganu. Yr oedd y Betws Fawr yn gyrchfan beirdd a llenorion yn ei ddydd, a Bardd y Betws Fawr yn ddyn o ddylanwad. Cerddodd lannau afon Dwyfach, a gwybu,

Awr fach ymhlith oriau f'oes,
Fwynaf o oriau f'einioes;
Eilio, mân byncio mwyn bill,
Dan lawen wybren Ebrill;
Egor llais wrth gwr y llyn,
Digymell ar deg emyn,
Tan gysgadwydd irwydd iach
Mwyn dyfiant ym min Dwyfach;
Ac ednaint gwâr, lafar lu,
Uwchben oedd y chwibanu,
Dolef ar gangen deiliog,
Oruwch dwr glân lle cân côg.

Yn ddyn yn ei fan, priododd a ganed merch iddynt, ond er glaned awyr Eifionydd, collodd hi yn eneth ddwy ar bymtheg oed. Canodd ei hiraeth amdani yn llinellau enwog y Farwnad,

Ymholais, crwydrais, mewn cri,—och alar!
    Hir chwiliais amdani;
  Chwilio'r celloedd oedd eiddi,
  A chwilio heb ei chael hi.

Gwywais o geudeb, weld ei gwisgiadau,
Llanwai y meddwl o'i llun a'i moddau.
Dychmygion gweigion yn gwau—a'm twyllodd;
Hynod amharodd fy ngwan dymherau.

Ei llyfrau, wedi ei llafur odiaeth,
Im pan eu gwelwyf mae poen ac alaeth:
Llawn oedd mewn darllenyddiaeth,—a hyddysg,
Cryf iawn o addysg mewn sgrifenyddiaeth.

Och! arw sôn ni cheir seinio—un mesur
    Na miwsig piano;
  Mae'r gerdd annwyl yn wylo,
  A'r llaw wen dan grawen gro.

Yn adfyd ei hiraeth daeth ar draws rhai o brofiadau mawr y gorffennol, a throi'r rhai hynny yn eiddo i bobl a ddaeth ar ei ôl,

Nef yw i'm henaid ym mhob man
Pan brofwyf Iesu mawr yn rhan;
Ei weled ef â golwg ffydd
Dry'r dywyll nos yn olau ddydd.

Nid rhaid ymhelaethu ar werth llenyddol gwaith Robert ap
Gwilym Ddu; mae digon wedi ei ysgrifennu arno yn barod.
Ond ni ellir cerdded y ffordd gul droellog o Gapel y Beirdd at
fferm y Betws Fawr heb ddychmygu am yr hen fardd, yn ddyn
mawr trwm, dipyn yn afrosgo, yn ei cherdded yn ei ddydd.
Llecyn braf ar godiad tir yw'r Betws Fawr, ac nid oedd ryfedd
yn y byd i'r bardd hiraethu amdano a chanu ei atgasedd o
Fynachdy Bach, lle symudodd, yn yr englyn,

> Ni allaf fyw yn holliach—am orig
>   Rhwng muriau hen fynach.
>   A wnaeth Iôn le gwrthunach?
>   Och di byth Fynachdy Bach!

Mae cofeb i Robert ap Gwilym Ddu yn wynebu'r gynull-
eidfa wrth iddynt fynd i mewn i Gapel y Beirdd, a geiriau arni i
atgoffa mai ef oedd awdur y pennill sydd wedi taflu cysgod y
Groes ar draws lliain gwyn bwrdd y Cymun, ac wedi rhoi
hergwd o ysgytiad i lawer enaid sylweddoli 'anfeidrol werth yr
aberth',

> Mae'r gwaed a redodd ar y Groes
>   O oes i oes i'w gofio,
>   Rhy fyr yw tragwyddoldeb llawn
>   I ddweud yn iawn amdano.

Ar yr un gofeb ceir enw Dewi Wyn a'r llinellau adnabyddus o'i
waith. A dyna waethaf dechrau llenydda mewn ardal fel hyn.
'Does dim diwedd arni. Eben Fardd wedi ei eni yn Nhan Lan
Llangybi. Ac mae'r ffyrdd, aroglau pridd newydd, drysni'r
cloddiau, amlinell feddal y wlad, a'r distawrwydd yr un fath yn
union heddiw ag oeddynt pan welodd Eben Fardd yn ei ddych-
ymyg y milwyr hynny yn rhuthro ar Gastell Antonia,

> Y gampus Deml a gwympa—cyn pen hir;
>   Ac O! malurir gem o liw eira.

Siôn Wyn yn wael yn Chwilog ac yn treulio y rhan fwyaf o'i
lesgedd a'i anhwylder yn byw ar faidd a phosel. Gwas y Betws
Fawr wedyn yn priodi morwyn Y Gaerwen, a Nicander yn fab
iddynt. Fel 'Morris bach y llifiwr' yr adwaenid ef yn yr ardal pan
oedd yn brentis o saer coed, ond aeth y 'Morris bach' hwnnw i
Ysgol Ramadeg Caer ac i Goleg Iesu yn Rhydychen, ac ar ôl
ymsefydlu yn Sir Fôn, dywedodd mewn llythyr at Eben Fardd,
'Gwell gennyf fi Eifionydd'. Pe chwilid hanes pob cysylltiad
diddorol, ni fyddai angen ffordd i adael yr ardal. Rhaid bod
barddoniaeth fel clefyd yma a diwylliant fel clwy. Ac eto yr oedd
yma hen frodyr nad oedd ceinder cynghanedd yn golygu llawer
iddynt. Dynion fel Rhisiart Tomos, Y Cefn, a'i locsyn cwta a'i
het galed fach gron a'i ddiddordeb tanllyd yng ngwleidyddiaeth
Lloegr. Dyfynna Cybi ran o un o'i areithiau huawdl ar ran yr
ymgeisydd Rhyddfrydol mewn lecsiwn,

'Ac mewn difri hogia, a yda' ni am ada'l i ryw Pharoaid
cythra'l fel hyn y'n sathru ni am byth? Gwyddoch be' ma'r
torllwyth d—l yma wedi neud i'r werin hyd nes doth dynion
fel Syr Robert Peel, Cobden, Bright, Gladstone, a'u tebyg nhw
i'r byd yma. Gwyddoch hanes Deddf yr Ŷd, ac fel y canodd
Dewi Wyn mor felltigedig o dda—rhag cywilydd iddyn'
nhw,—hanas y gweithiwr, druan!

Dwyn ei geiniog dan gwynaw,
Rhoi angen un rhwng y naw!

Ond o'dd yr hen Ddewi yn dda felltigedig, hogia? . . . Yr
amsar honno, ni chawsach chi fwy o halan am driswllt na
gewch chi heiddiw am geiniog. A sut gythra'l y medrai neb
neud uwd na thamaid o ddim arall, a'r halan mor ddiawledig o
ddrud? A'r peth ydw i'n ofyn i chi cyn fy hopran ydi,—A
ydach chi am bara i fod yn gaethweision i olynwyr Pharo? . . '

Yr oedd haul prynhawn o haf wedi mynd o'r golwg a'r nos
yn disgyn yn raddol ar dawelwch Eifionydd. Daear Cymru ac
un o gaerau'r iaith a'r diwylliant. Yr oedd awel diwedd y dydd
yn rhyw frith chwarae gyda changau'r coed o gwmpas y ffordd yn
ymyl Hen Efail y tu isaf i'r Betws Fawr a chyn cyrraedd Tal-
henbont. Trwy fân symud patrwm y dail gwelid cip ar Blas y

Gwynfryn, a'i dŵr sgwâr. Nasareth House yw ei enw erbyn hyn.
Ac ar y tŵr yr oedd erial deledu yn ymestyn ei bysedd croesion
i gyfeiriad Lloegr.   A'r dydd **yn darfod** 'ar faenor bro Eifionydd'

Pentrefi'r Eifl

Yng nghywyddau beirdd fel Huw Pennant, mae cyfeiriadau mynych at hen deuluoedd fel teulu'r 'Plas Du yn Fionydd'. Tŷ ffarm ydyw, a rhannau ohono yn hen iawn, yn sefyll yr ochr isaf i'r ffordd sydd yn mynd o Langybi i Bencaenewydd. Dilyn y ffordd o Eifionydd a mynd i fyw i leoedd eraill wnaeth amryw o deulu'r Plas Du yn yr unfed ganrif ar bymtheg. Mynd i geisio rhoi help llaw i rai oedd â'u bryd ar gael llywodraeth fwy goddefol o grefydd Rhufain, a thrwy hynny, mewn dyddiau anoddefgar, cawsant losgi eu bysedd o bob cyfeiriad a gorfod byw ar herw ymhell o'u gwlad ac o'u cynefin. Yr oedd gan un aelod o'r teulu yma, Hugh Owen, gysylltiad â'r noson tân gwyllt gyntaf erioed yn 1605 pan geisiwyd chwythu'r Senedd i fyny. Ganed Hugh Owen yn 1538 yn fab i Owen ap Gruffudd, a gwnaeth lawer o waith i geisio gwell goddefgarwch i Babyddion. Methiant fu ei ymdrechion, ac yn y diwedd bu'n rhaid iddo gadw o'i wlad yn gyfangwbl. Yr oedd yn Brussels yn 1572, a bu yng ngwasanaeth llywodraeth Sbaen am tua deugain mlynedd. Bu farw yn Rhufain yn 1618.

Ynghlwm wrth hanes Lloegr hefyd, yn anffodus, y mae hanes gyrfa nai Huw Owen, y John Owen oedd yn enwog yn Llundain yn ei ddydd fel epigramydd Lladin, ac yn hoff o gyfeirio ato'i hun bob amser fel 'John Owen y Cymro'. Rhaid bod llawer o bobl ac asgwrn cefn ganddynt yng Nghymru yr adeg honno. Ffasiwn eu hoes hwy oedd mynd i Lundain a chael tynnu eu hasgwrn cefn, yn ffigurol ond lawn mor effeithiol ag y mae ffasiwn yr oes hon o fynd o Ogledd Cymru ac Eifionydd i Lerpwl i gael ei sythu a'i ail-rabedu yn llythrennol. Ond y mae digon o bethau i'w gweld heb fynd i lusgo gyda'r hen orffennol.

Wrth basio trwy bentref Pencaenewydd sy'n llinynnu ei hun gydag ochr y ffordd, mae Garn Bentyrch ar y chwith, a'r mân ffyrdd croes ymgroes yn graddol ddarfod fel y deuir yn nes o hyd at linell syth y ffordd fawr sydd yn mynd o Bwllheli i Gaernarfon.

Yr olaf o'r ffyrdd bach ydyw'r un sydd yn mynd i'r dde o'r groesffordd ym Mhencaenewydd, ac ar ôl troi a throsi ychydig a chroesi pont dros yr afon Erch mewn hafn goediog, yn dod allan yn slei yn y Ffôr. Ond ymlaen i gyfeiriad y 'lôn bost', ac ar ffordd Pencaenewydd ei hunan, y mae llidiard mawr ar y chwith, a dyma'r ffordd i Dyddyn Bach a Phlas Glasfryn a'i gysylltiadau gyda theulu'r pensaer enwog Clough Williams Ellis. Un o'r teithiau ers talwm hynny ydyw'r daith i Dyddyn Bach ac y mae ei manylion wedi pylu rhyw ychydig, ond efallai i hynny wneud y cof am liwiau'r rhododendron o gwmpas y llyn yn gliriach. Mae ynys ynghanol y llyn wedi ei llwytho â choed rhododendron, ac o dan haul y pnawn yr oedd disgleirdeb eu lliw yn pefrio ar y sglein oedd ar wyneb y dŵr. Crychai awel dechrau haf y llyfnder a gwneud mân fflachiadau diamwnd o liwiau'r blodau. Pobl tir cefn gwlad Eifionydd oedd yn Nhyddyn Bach, o'r henwr a'r farf wen sidanaidd i'r glaslanc tywyll sydd erbyn hyn yn olygydd y papur wythnosol mwyaf poblogaidd yng Nghymru. Straeon y wlad oedd yno hefyd am gymeriadau fel yr hen frawd hwnnw oedd yn gofyn i Dduw gofio am ei fab wrth ei enw, 'Cofia am Wil Bach, Arglwydd Mawr; mae 'na dylla' yn 'i 'sana fo yr ae' dy ben di drwyddyn' nhw'. Erbyn yr ail ymweliad â'r fan yr oedd cysylltiadau teulu'r cyfaill â'r Tyddyn Bach wedi eu torri, ac nid oedd blodau ar y coed rhododendron ar yr ynys yn y llyn. Y Gaeaf oedd hi, a Phlas y Glasfryn oedd ein cyrchfan. Nid fel gwesteion bonedd y teithiem chwaith, ac nid oedd fawr o olwg bod y gŵr ifanc o Sais a ddaeth i'r drws yn debygol o fod yn disgwyl na bardd na thelynor yrhawg. Ac o ran hynny nid llenydda na cherddora oedd diben y pererindota. Mynd i'r coed yr oeddym. Yr oedd y gŵr ifanc yn perthyn i'r teulu oedd wedi bod yn y Plas fel tirfeddianwyr ac yntau yn ganolfan ystad bach. Beth bynnag oedd lliw ei waed, dyn busnes ymarferol iawn oedd y disgynnydd hwn. Magwrfa coedwigaeth sydd yno a choed bach o wahanol oedrannau yn barod i rywun roi y rhaw o danynt a'u symud i'r fan a fynnir. Nid gwerthwr di-ddiddordeb oedd y gŵr bonheddig chwaith. Yr oedd arno eisiau gwybod i ble'r oedd y coed yn mynd, pa fath sefyllfa, pa fath dir, ffordd yr wynebai, a lliaws o bethau eraill a oedd yn debygol o benderfynu

pa un ai byw ai marw a wnaent. Eglurodd yn fanwl sut i'w plannu
a sut i edrych ar eu holau a rhoi chwarae teg iddynt. Dyn o
gwmpas ei bethau a'i wybodaeth drwyadl ar flaenau'i fysedd.
Cymwynas fawr ydyw magu brwdfrydedd dros dyfu coed wrth
fympwy ac nid wrth raid ar lymder noeth rhai o erwau diarffordd
Llŷn. Aroglau coed pinwydd yn llond y car wrth ddod yn ôl at
y ffordd fawr gyda glannau'r llyn a chofio am y tro arall hwnnw
oedd yn ymddangos mor bell yn ôl.

Yn union gyferbyn â'r lle mae ffordd Pencaenewydd yn dod
i gyfarfod â ffordd Caernarfon mae'r fynedfa i Trallwyn Hall, un
arall o blasau'r mân stadau oedd mor gynefin ym mhatrwm cym-
deithas eu cyfnod. Mae'r ardal, o'r ffordd fawr ymlaen i gyfeiriad
y Trallwyn, yn weddol goediog, a gwlad brin o goed at ei gilydd
ydyw Llŷn ac Eifionydd. Gorwedd y tir o gwmpas y plas mewn
braich o dro o'r Afon Erch rhwng Pont Rhyd-goch â'i thro
sydyn, lle bu'r tŷ corn cam am flynyddoedd, a Phont y Gydros
sydd mewn gostwng bach ymhellach ymlaen i gyfeiriad Caer-
narfon. Yr Afon Erch yn croesi'r ffordd yn ôl ac ymlaen sydd
yma ac yn ei bachu ei hun am wastadedd o wlad sy'n codi i fyny i
gyfeiriad ffermydd ar dir uwch, fel Coed y Garth a Glasfryn
Bach. Gwlad braidd yn anodd ei lleoli ydyw'r wlad o gwmpas.
Mae'r mynyddoedd yn ymyl. Nid ambell un fel Moel Bentyrch
yma ac acw ar wastadedd gwlad, ond mynyddoedd yn dechrau
eu pentyrru eu hunain i fyny fel y byddant yn gwneud ym
mherfedd Eryri, yn amlinell o fynydd, a mynydd y tu ôl ac o
boptu iddo. Ac eto rywsut mae'r lle yn perthyn i Lŷn. I Bwllheli
y bydd pobl yn mynd ar bnawn Mercher ac ar ddydd Sadwrn,
ac ni fydd pobl Llŷn yn teimlo y byddant wedi llawn adael eu
cynefin nes mynd trwy Lanaelhaearn.

Nid oes yn Llan'haearn druan fawr o ddeunydd edmygedd
i bensaer. Stribed digon blêr, dipyn yma a thipyn acw o gwmpas
y groesffordd ydyw. Ysgol a chapel, siopau a becws, a'r eglwys,
a hen ffynnon a ddefnyddir erbyn hyn i gyflenwi dŵr i'r pentref.
Tebyg i'r mannau hyn fod yn brysur iawn ar un cyfnod pan
oedd bri ar eglwys Beuno yng Nghlynnog sydd heb fod ymhell,
a'r Aelhaearn hwn sy'n nawddsant yr eglwys yma, o bosibl, yn
un o ddisgyblion Beuno. Ond pa faint bynnag o rinwedd i wella

oedd yn nŵr y ffynnon, a pha mor weithgar bynnag fu'r Sant
o Drefaldwyn, prin, mwya'r gresyn, fod neb yn y pentref erbyn
hyn yn ymboeni dim ynglŷn â hwynt, a phe dygid ar gof i'r
boblogaeth mai'r dydd cyntaf o Dachwedd oedd dydd gŵyl eu
nawddsant, prin y deuent allan yn dyrfa i'w dathlu. Ym mynwent
eglwys Llanaelhaearn y mae bedd yr hen wraig honno oedd wedi
bod yn forwyn yn y Betws Fawr gyda Robert ap Gwilym Ddu.
Yr hen fardd oedd wedi ei dysgu i ddarllen, 'o stop i stop'.

Mae dwy garreg hen iawn yma yn mynd yn ôl mor bell â'r
chweched ganrif. Yr enw Melitus, enw gweddol gyffredin yn y
cyfnod, sydd ar y garreg gyntaf. Ond mae'r ail yn fwy diddorol.
Carreg yn yr eglwys ydyw hon, a'r ysgrifen a ganlyn arni,—
'Aliortus Elmatiacos hic iacet'. Ei stori yn Gymraeg ydyw, 'Yma y
gorwedd Aliortus, gŵr o Elfed'. Y rhan o Loegr o gwmpas Leeds
heddiw oedd Elfed. Yr oedd yn wlad Gymreig yn y bumed a'r
chweched ganrif, ac nid yw Catraeth y Gododdin ymhell iawn.
Rhaid bod yr Aliortus hwn wedi ymfudo oddi yno i Gymru, a
byddai'n ddiddorol gwybod ei hanes. Tybed a oedd wedi dianc
rhag ymosodiadau'r Saeson? Neu a allai fod yn bererin cynnar
i rywle fel Enlli?

Mae ffordd fach gul a throellog a diddorol ar y dde gyda
thalcen y gwesty yn arwain i bellafoedd y wlad ac i unigedd o
ffermydd gwasgarog yng ngheseiliau'r mynyddoedd. Dyma'r
ffordd i Gwmcoryn a'i gapel bach, ac o'i dilyn ymlaen deuir yn
ôl i berfedd cefn gwlad yng nghyffiniau Pen-sarn a Mynydd
Cennin unwaith eto. Gyferbyn â phen y ffordd hon yn Llan-
aelhaearn mae ffordd dros y mynydd yn arwain i Lithfaen a
Nefyn. Ond cyn dilyn honno dylid aros wrth ffermdy Uwchlaw'r
Ffynnon lle 'roedd cartref y pregethwr diddorol Robert Hughes.
Ganed ef yn 1811 a bu'n ddisgybl i Ddafydd Ddu Eryri. Ysgri-
fennodd hanes diddorol yn ei hunangofiant amdano'i hun yn
canlyn gwartheg i Lundain a phenderfynu aros yno i ddysgu
Saesneg a dod yn ôl i Gymru yn y diwedd a mynd yn bregethwr.
'Roedd yn fardd yn ôl safonau'i oes, ac enillodd am gyfansoddi
cywydd ar y testun tanllyd 'Dinystr Sodom a Gomorrah' yn
Eisteddfod Llannerchymedd yn 1835, a Robert ap Gwilym Ddu
yn un o'r beirniaid. Mae dechrau'r cywydd yn deilwng iawn o

ffrwydradau barddonol y cyfnod. Gallai fod yn fwy addas i ddisgrifio'n gywir ffrwydradau niwclear Lloegr a gwledydd blaenllaw eraill ein cyfnod ni,

> Ar wastadedd rhostiedig,
> Y maglu tân, myglyd dig,
> Ddeifiant yn annioddefol
> Filiwn o gyrff flaen ag ôl.

Ond nid oedd yn fodlon ar ei bregethu a'i ffermio a'i letya pregethwyr ac eraill,

> 'Llonni gyrfa rhwng Llŷn ag Arfon,'

a phan gafodd ei amgylchiadau i drefn weddol gysurus a diogel, yn ddyn hanner cant oed, dechreuodd arlunio, 'ar bapyr llwyd, gyda'i fys wedi ei drochi mewn whiteyn, lampblack, a Spanish brown', a bu'n arlunydd diwyd hyd ddiwedd ei oes. Mae'r ysfa i'w gweld yn ei bregethu. Darlunio cynnydd Cristionogaeth, a lledu'i ganfas dros y byd i gyd:

> 'Dechreuwn yn ngyfeiriad y pegwn gogleddol, yn Green-land a Lapland gyda'r Esquimaux, nad ydynt ond ychydig dros bedair troedfedd o daldra, ac wedi eu geni a'u magu, ac yn byw ar hyd eu hoes mewn bythod o ia . .'

Efallai bod y pegwn gogleddol yn lle digon naturiol iddo ddechrau ac yntau yn byw ynghanol yr ysgythredd rhwng ochr Tre'r Ceiri a'r Moelfre. Lle iawn am niwl a glaw mân sydd yng nghulni'r bwlch yma, a lle cystal bob tipyn pan fydd y tywydd yn ffafriol i gael golwg ar y lliwiau cymhleth sydd mewn mynydd wrth fod yn agos ato ond heb fod yn ei gerdded. Ond er bod rhyw fath o hacrwch yng ngerwinder brwnt y creigiau c'ledion, arall ydyw hacrwch y cwt sinc o neuadd sy'n ddolur rhydlyd ar fin y ffordd fawr. Neuadd na fuasai teulu o ieir literaidd byth yn ei harddel na dychmygu am fyw ynddi.

Llithra'r ffordd fawr yn fuan i lawr i wastadedd glan y môr i fynd yn ei blaen am Glynnog ac Arfon. O'i gadael a dilyn y cyfeiriad a roir gan y mynegbost i'r chwith deuir i bentref Trefor yn ei gilfach wrth odre'r Eifl, y rhoes ei graig fodolaeth iddo. Pentref y chwarel ydyw. Cyfyd y ponciau y naill ar ôl y llall yn glogwyni melynwyn o ithfaen caled, ac y mae medd-

alwch tawedog mân bentrefi gwastadeddau'r wlad yn beth
dieithr yma. O ran ei gymeriad, perthyn Trefor yn nes i bentrefi
gweithfaol tebyg yn y mynyddoedd, pentrefi Dyffryn Nantlle,
Llanberis a Dyffryn Ogwen. Lle gweddol ddiweddar ydyw wedi
tyfu yn sgil datblygiad y gwaith, a llawer o enwau dieithr yn
aros ar bobl sy'n Gymry glân erbyn hyn. Enwau Gwyddelig
ydyw llawer ohonynt, ac efallai fod a wnelo hynny rywbeth â'r
ymdeimlad o annibyniaeth sy'n gryf yn y gymdeithas. Neu
efallai fod dynion sy'n treulio oes yn ymladd gyda gwytnwch
craig yn sugno peth o'r gwytnwch hwnnw i'w cymeriad ac yn
magu caledwch yn eu natur rhagor na dynion tir sy'n trafod
meddalwch gweirgloddiau a breuder sofl. Stori annibyniaeth yw
stori'r Moto Coch beth bynnag.

Pan ddaeth y bwsiau cynnar yn boblogaidd yn nechrau'r
ganrif yr oedd llawer o wahanol fathau ohonynt, o fawredd y
siarri lydan a rhes o seti ar ei thraws a drysau i fynd iddynt ymhob
pen ar hyd ei hochrau, hyd at ddistadledd y lori lo a sgubid yn lân
ar nos Wener, ac ar ôl gosod seti ynddi, ei diddosi gyda tho
tarpowlin i'w gwneud yn foto i fynd i'r dre erbyn un o'r gloch
pnawn Sadwrn. Rhedai'r moto wrth angen y teithwyr yr adeg
honno cyn i'r peiriant fynd yn feistr ac i'r teithwyr ddechrau
rhedeg wrth angen y moto. Prin y gwelid neb yn brysio yn
fyrwyntog, fochgoch, ar hyd y Maes yng Nghaernarfon neu
Bwllheli a chael fod y bws 'wedi mynd'. Safai'r perchennog â
phwysau'i gefn ar ben blaen disglair ei fws yn gwenu'n rhadlon
ar ambell un o'r rhai oedd wedi ei gludo i'r dre yn pasio'n ham-
ddenol ynglŷn â'i fusnes. Byddai rhywun wedi gorffen ei neges
ac yn dod ato am sgwrs, ac yn llywio'r sgwrs yn ddeheuig i
gyfeiriad y cwestiwn,
    "Pryd 'rwyt ti am fynd adra, John?"
    Ond byddai'r ateb yn gwbl ddiogel,
    "Pan ga' i lwyth 'te boi."
Cymry hawdd iawn i'w trin a'u trafod oedd perchenogion y
bwsiau, ac ni chafodd y cwmniau mawr o Loegr unrhyw drafferth
i roi eu crafanc ar y moto a'i lusgo i bwll di-waelod eu crombil
newynog, a rhoi cap pig gloyw i'r perchennog a'i wneud yn
ddreifar. Ond fe ddygnodd ambell un ymlaen, ac y mae ychydig

yn aros o hyd. Dygnodd pobl Trefor iddi i gyd fel un gŵr, a
daeth cadw'r Moto Coch yn fater o gydwybod cymdeithas. Er
clod iddynt, mae bwsiau cwmni'r 'Clynnog a Threfor' yn dal i
redeg, ar amserau gwahanol, ond ar hyd yr un ffordd yn union
o Bwllheli i Gaernarfon â bwsiau'r cwmni mawr. Ond y mae
un gwahaniaeth. Mae pentref Trefor ar lan y môr, filltir oddi
wrth y ffordd fawr a dwy ffordd yn cyrchu i lawr yno, a gellir
mynd yno ar hyd yr un a fynner o'r ddwy, y naill o ochr Pwllheli
a'r llall o ochr Caernarfon, a dod yn ôl ar hyd y llall. Pasio pen
lôn Trefor y mae'r bws gwyrdd bob tro, nes gwneud y myneg-
bost sy'n dweud 'Trefor Only' yn arwyddocaol iawn. Y Moto
Coch yn unig sy'n teithio'r ddwy filltir hyn, a llwyddodd i gadw
ei urddas er mor gyfyng yw ei libart. Yn ystod blynyddoedd y
rhyfel yr oedd gan y cwmni un o'r bwsiau seti pren oedd yn
gynefin, a'r gyrrwr yn ddyn meidrol yn eistedd wrth yr olwyn
yn y bws ac nid yn gorun cap a chefn dyn mewn sgwâr o wydr
o flaen y bws. Merch ifanc oedd 'y giard', ac Annie oedd ei henw.
Gwyddai pob teithiwr hynny am ei bod hi yn siarad gyda'r
gyrrwr wrth ei enw, William Jones, ac yntau yn dweud 'Annie'
wrthi hi. Nid tinc mecanyddol rhodresgar cloch anweledig oedd
yn peri i'r Moto Coch gychwyn ac aros, ond llais Annie yn
dweud, 'Reit William Jones' a hynny yn peri i droed William
Jones fynd i lawr ar y clyts. Byddai'n hawdd iawn gweld ymhle'r
oedd yr awdurdod terfynol hefyd. William Jones fyddai'n gofyn
wrth ddod i lawr am y pentref ar y ffordd o Gaernarfon,
    "Ydi dy Anti am ddwad heddiw, Annie?"
    "Os bydd hi'n barod 'te."
    "Mi 'roswn ni am funud os na fydd hi."
    At eich gwasanaeth!
    Fe glywai teithiwr o Lŷn lawer sŵn anghynefin iddo wrth
ddod at bentref Trefor. Weithiau bydd ergydion y saethau yn y
chwarel yn torri ar ddistawrwydd y bore, neu sŵn llwytho'r
llongau wrth y cei yn y pnawn. Ond pe deuai gyda'r nos gallai
glywed sŵn y band, o ddisgleirdeb y cornet hyd at feddalwch
esmwyth y 'corn mawr'. Dyma gysylltu Trefor eto â lleoedd fel
Nantlle a Llanberis, Deiniolen a Bethesda. Mae'r band yn dal i
ddiddori ei amryfal gynulleidfaoedd ymhell ac agos ac ymhob

15. Nant Gwrtheyrn.

16. Llwyndyrys.

17. Pwllheli.

18. Y Maes o Ben Cob.

tywydd, o ddiwrnod crasboeth yn Rhoshirwaun yng nghanol haf
i ddiwrnod croesawu Santa Clos mewn niwl a glaw mân o flaen
un o siopau Pwllheli ychydig o ddyddiau cyn y Nadolig. Mae
llawer un hefyd wedi cerdded mewn gorymdaith yn llawer llai
ymwybodol ohono'i hun am fod curiad y drwm a seiniau'r cyrn
yn peri iddo feddwl mai ar y band y mae pawb yn edrych.

Ni ddylid anghofio un cysylltiad pwysig â'r gorffennol
diweddar yn Nhrefor. Mae'r llongau bach yn dod i gyrchu'r
cerrig o'r chwarel o hyd. Mae dydd y sets a ddefnyddid i balmantu
strydoedd dinasoedd Lloegr wedi mynd heibio, ond rhaid i lawer
diwydiant diweddar wrth sylfaen o gerrig i orffwys ei beiriannau
a'i offer arni, a cheidw hynny y chwarel yn agored. Bu gwylio'r
llongau yn mynd a dod ar eu hynt oddi wrth y cei yn foddion i
roi cefndir i ddychymyg un o storiwyr mwyaf poblogaidd plant
Cymru, R. Lloyd Jones, Prifathro Ysgol Trefor ym mlynyddoedd
cynnar y ganrif, ac awdur *Capten*, ac *Ynys y Trysor* sydd lawn
mor boblogaidd heddiw ag y bu erioed. Prin iawn y cuddia'r
enw 'Trelan' wreiddiol pentre *Met Y Mona*.

'Pentref bychan yn agos i lan y môr, ac yn llechu wrth odre
mynydd tra uchel yn Sir Gaernarfon, ydoedd Trelan; a'i gylch-
fyd,—y mynydd a'r môr—yn chwarae rhan bwysig ym mywyd
y pentrefwyr. Gwir fod yno dir amaethyddol a rhai ffermydd yn
yr ardal; ond ar y môr, neu ynglŷn â'r chwarel oedd ar lechwedd
y mynydd tu ôl i'r pentref, yr enillai mwyafrif y boblogaeth eu
cynhaliaeth.'

Er mor ddeniadol ydyw'r traeth yn y gilfach ar brynhawn
o haf, rhaid ei adael a chyfeirio'n ôl er mwyn cael bod ar yr ochr
iawn i fynyddoedd yr Eifl. Un ffordd o adael Trefor fyddai
dringo i fyny'r llwybr serth gyda phonciau'r chwarel a thros y
bwlch i Lithfaen. Mae golygfa fawr o fôr a mynydd y tu ôl i'r
dringwr cyn i'r bwlch gau allan Fôn ac Eryri a llif y tonnau dros
Gaer Arianrhod. Croen tenau'r mynydd dan ei droed. I'r sawl
na fyn ddringo rhaid dilyn y ffordd yn ôl drwy Lanaelhaearn ac
i fyny llethrau Tre'r Ceiri. Mae digon o fannau cyfleus i adael car
ar ochrau'r ffordd dros y mynydd. Gadewir llaweroedd yno bob
dechrau haf gan helwyr llus. Ond y mae copa Tre'r Ceiri yn
gyrchfan pobl a'u diddordebau yn llawer gwahanol i ddiddor-

E

debau yr helwyr llus cegddu. Dyma un o'r lleoedd y byddai
cymdeithas Adran Gymraeg Coleg Bangor, Cymdeithas Llyw-
arch Hen, yn rhoi tro i'w gweld yn achlysurol. Ceir digonedd o
hanes y lle yn y cyfrolau archaeolegol, a bu ar un cyfnod yn gaer
nodedig iawn a'i thrigolion yn weddol ddiogel oddi wrth ym-
osodiau'r gelynion. Ond er ei phwysiced, mae'n hawdd iawn
anghofio'r ffeithiau hanesyddol ac yn llawer haws cofio osgo
Syr Ifor Williams wedi cyrraedd y copa yn sefyll i wynebu awel
oer pen y mynydd, ac yn ei oslef feddal addfwyn yn cenfigennu
wrth bobl oedd wedi bod yn byw bob dydd gyda golygfa mor
ardderchog o'u blaenau. Eglurodd gynllun y gaer fel pensaer,
disgrifiodd ei thrigolion fel nofelydd, dychmygodd ei gorffennol
fel bardd, ac yn rhediad sicr ei frawddegau llithiwyd dychymyg
criw o fyfyrwyr nes iddynt anghofio am rai munudau mai hwy
oedd yn dal y byd wrth ei gilydd. Gollyngodd hwynt yn ôl i
drobwll eu pwysigrwydd â fflach o ddireidi yn ei lygad a chysgod
o wên yn ei lais.

Yn ôl ar lethr y mynydd, a throella'r ffordd dros fwlch uchel
nes dod i olwg pentref Llithfaen. Mae mynydd Caergribin ar y
dde a Charnguwch ar y chwith. Nid oes cystal graen ar bentref
Llithfaen ag sydd ar Drefor a Llanaelhaearn. Efallai mai'r rheswm
mwyaf am hynny yw ei fod mor agored ac mor amlwg wrth
ddod ato. Fel llawer o'r pentrefi gweithfaol, lle blêr ydyw, a
thalcen rhai o'r tai lle dylai'r wyneb fod, a'r drws cefn yn y
ffrynt.

'Roedd hi'n amser cinio yn nhŷ'r chwarelwyr yn Llithfaen.
Nid cinio gyda'r nos ond cinio canol dydd chwarelwr wedi
ymddeol. Y mab a'i deulu yn brysur yn byw, a'r tad yn cofio
pethau yn debyg ac yn wahanol.

"Mae yma gyfnoda' heb waith wedi bod erioed. Mi fydda
ryw betha yn dod i beri diffyg gwaith yr adeg honno, ond fydda'
na ddim arian yn dwad i mewn, a wedyn mi fydda'n rhaid
mynd."

"I chwilio am waith?"

"Ia i chwilio am waith," yn ddigon didaro.

"I ble byddech chi'n mynd?" gan ddisgwyl clywed iddo fynd
mor bell â Bethesda, neu efallai, i'r De.

"O i r'wla lle bydda'r gwaith. I Sgotland ne'r Werddon ne'r Mericia."

"Fuoch chi yn y Mericia?'

"Do ag yn Sgotland ag yn y Werddon. Pan oeddwn i'n 'fengach ynte. Ond cofiwch chi, 'roeddan ni yn dwad yn ôl."

Yr oedd ganddo lawer mwy o bwyslais ar ddod yn ôl nag ar fynd i ffwrdd. Drwg yr ymfudo presennol yn ei farn ef oedd nad oedd y bechgyn o Lithfaen a'r lleoedd cyffelyb sydd yn dioddef oddi wrth y diboblogi yn gwneud digon o ymdrech i ddod yn eu holau i'w cynefin. Pan ddaw plwc o ddiweithdra heddiw, maent naill ai'n bodloni ar y dôl, neu yn neidio ar lorri a'i chychwyn hi am Fanceinion neu Lerpwl, ac ar ôl bod yno am sbel, priodi a gwneud eu cartref, a'r plant yn dod ar eu gwyliau yn yr haf yn Saeson uniaith. Er teneued oedd daear y mynyddoedd, yr oedd wedi bod yn ddigon dwfn i'w genhedlaeth ef fagu gwreiddiau oedd wedi gafael yn dynn iawn ynddi.

Olion y bywyd oedd yn yr ardal cyn agor y chwareli ydyw'r mân fythynnod ar y llechweddau. Sonnir am gyfnod tlawd iawn pan oedd y trigolion yn hel grug ar y mynyddoedd a'i gario ar eu cefnau yn feichiau trymion i'w werthu ym Mhwllheli. Mae yma olion helynt y cau tir comin. Yn wir y mae yma batrwm hanes cymhleth, peth ohono mor glir â chylchoedd y cytiau ar ben Tre'r Ceiri, a pheth ohono 'ar goll yn awr yn llwch yr oesoedd gynt'. Ar nos Sul yn niwedd Gorffennaf gellid clywed, trwy ddrws agored festri'r capel sydd ar fin y ffordd, leisiau'r côr yn ymarfer ar gyfer yr Eisteddfod. Morio iawn o ganu, a golwg wrth eu bodd ar aelodau'r côr yn dod allan a'u hwynebau yn sgleinio yn haul melyn gyda'r nos. Y band yn dal ati yn Nhrefor a'r côr yn dal i ganu yn Llithfaen, a rhywrai o hyd yn gwreiddio yma ac yn dod yn ôl bob tro at galedwch y creigiau a byrwellt y mynydd.

Mae'r sgwâr yn Llithfaen ar gymaint o oriwaered nes ei fod yn colli pob urddas allai fod iddo fel sgwâr, ac anghofio am funud bensaerniaeth ei amgylchedd, a gwneud i ddyn feddwl bod rhywun wedi anghofio'i lefelu cyn dechrau codi o'i gwmpas. Cyn mynd ymlaen ar hyd y ffordd fawr, dylid troi i gyfeiriad y mynydd ar hyd ffordd sy'n dringo i ddarn o wastadedd uchel ac yna yn disgyn yn droellog ac yn frwnt dros ddim ond silff bach o graig ambell dro i lawr i neilltuedd Nant Gwrtheyrn. Mae'r llwybr yn frawychus weithiau, a phan oedd pobl yn byw yn y Nant, defnyddid car llusg i gludo nwyddau ac angenrheidiau i lawr. Bu cwmni moduron yn cynnal profion ceir trwy droadau a serthni'r ffordd. Y chwarel oedd yn cadw'r Nant i fynd yn y blynyddoedd diweddar, a llongau yn dod yma i gyrchu'r cerrig yr un fath ag o Drefor. Mae golwg glyd a diddos ar y tai wrth y môr ar y gwastadedd, a phan oedd mynd ar bethau a'r ysgol yn agored yr oedd yno gymdeithas hapus. Cofiai un a fu'n dysgu plant yn yr ysgol yno y byddai bri ar gyfarfodydd yn y capel, ac am yr hen flaenor fyddai'n cyhoeddi moddion yr wythnos gan ofalu dweud ar ôl pob un yr amod, 'Os na fydd 'na long'. Y llong oedd yn rheoli'r gweithgareddau. 'Seiat nos Ferchar, os na fydd 'na long'. A phan ddeuai'r llong byddai'n rhaid gohirio pethau nes ei chael i'w lle yn barod i'w llwytho wrth y cei.

'Gwrtheyrn' oedd testun yr awdl yn Eisteddfod Genedlaethol Pwllheli yn 1955, ac y mae digon o swyn yn yr hanesion hanner chwedlonol am y gŵr hwnnw. Mae llawer o chwedloniaeth leol wedi ei wau o gwmpas ffeithiau oerion y llyfrau ysgolheigaidd, ac ambell dro ceir y fflach a gynhyrfodd Theophilus Evans wrth sôn amdano i ddweud, 'a dyn rhyfygus, ystrywgar a ffals oedd efe'. Wrth fynd i lawr y tro cyntaf erioed i weld lle oedd yn un o'r rhyfeddodau oedd o fewn cyrraedd bechgyn ysgol o Ben-y-groes, safem uwchben y pentref a daeth hen ŵr i'n cyfarfod ar ei ffordd i fyny. Holodd ein hanes, ac ar y sgwrs, ddigon unochrog,

"Fuoch chi yma o'r blaen, hogia bach?"

"Naddo."

Fflach o falchter yn ei lygad,

"Wyddoch chi 'rwbath o'r hanes?"

"Na wyddon'."

"Mi deuda i o wrthoch chi," a thinc buddugoliaeth yn ei lais. Mae llawer o'i stori wedi mynd yn angof, ond mae'r atgof am flas heli'r môr ar awyr denau'r mynydd ac iaith liwgar y storiwr yn aros yn glir iawn. Anghenfil o gawr oedd Gwrtheyrn wedi

gwerthu ei wlad i'r Saeson ac wedi gorfod dioddef oherwydd
hynny a dod i'r Nant i ymguddio. "Yn y fan acw yr oedd 'i
gastall o". Rhwng ei gydwybod a'r Saeson ac ymyrraeth gor-
uwchnaturiol a dewinol, aeth pethau mor boeth arno nes mai
ei unig ffordd o ymwared oedd neidio i'r môr. "Ag ma'r hanas
yn berffaith wir, hogia bach, achos ma' Carrag y Llam draw yn
fan'cw a'i henw hi yn deud yn hollol glir mai o'r fan honno y
llamodd o i'r môr." Buasai astudiaeth o ffynonellau yr hen
frawd yn faes diddorol. Yn ei ddychymyg ei hun yr oedd ei
ffynhonnell fwyaf toreithiog. Yr oedd ganddo chwedl am gorrach
o ddewin fyddai yn gwneud castiau â phobl yn y Nant hefyd,
ond nid oedd cystal graen ar honno. Nid oedd ynddi Saeson
chwaith, ac o ganlyniad nid oedd cymaint o liw ar ei hansodd-
eiriau. Yma hefyd yr oedd cefndir stori Rhys a Meinir, a ddaeth
yn adnabyddus yn ddiweddar yn yr opera Gymraeg,—Menna.

Yn ôl i Lithfaen a throi ar y dde ydyw cychwyn am Lŷn trwy
Bistyll a Nefyn. Bu cerdded ar lwybrau'r ffordd yma gan y saint
i Enlli, a dyma lwybr pererindod Esgob Bangor yn 1950. Ar-
hosodd yntau i orffwys yn y Pistyll ar ôl dod trwy fwlch yr
Eifl a chyn disgyn i wastadedd Llŷn. Mae darn o'r ffordd yn
rhedeg ar hyd ucheldir braf gyda godre Moel Gwynus. Mae
chwarel Carreg y Llam ar lan y môr ar y dde a thrafnidiaeth
llongau a moduron iddi a hynny yn peri fod yno weithio o hyd.
Wrth aros ar y ffordd gyferbyn â Phlas Pistyll, plas diweddar a
godwyd gan deulu o ddiwydianwyr o Saeson ac a drowyd yn
westy erbyn hyn, ceir golygfa ddiddorol o fôr a mynydd tebyg
i'r darlun o fachlud haul a wneir gan blentyn wyth oed gyda dau
lwmp o fynydd un o boptu'r papur a gorwel y môr yn cyrraedd
o'r naill i'r llall a'r haul yn hanner cylch melyn ar ei chanol. Yn
Y Foel, Pistyll, yr oedd cartref Ioan Lleyn, siopwr yn Llundain
oedd yn anfon ei waith i'r Drysorfa tua chanol y ganrif ddiwethaf.
Ymfudwr arall yn tynnu at ei wreiddiau mae'n debyg, ac yn un
o'i englynion mae'n cofio am 'Ddydd y Pethau Bychain';

Os sibrwd Iôn wrth d'ysbryd iach—un sill
Na saf am beth dwysach,
Gwna'r gorau o bethau bach
I feithrin dy gyfathrach.

Ardal y Pistyll oedd cynefin ieuenctid y Parch. Tom Nefyn
Williams hefyd. Rhyfedd i ardal mor arw a moel fagu'r fath
wyleidd-dra addfwyn ag ydoedd ar ôl iddo ddod yn ôl i Lŷn yn
weinidog i Edern. Mae'n debyg bod ynddo galedwch y graig
hefyd pan dorrodd y storm arno yn y Tymbl am iddo herio
awdurdod ei gyfundeb ar fanionach o gredo. Tyrrai'r cynulleid-
faoedd ar ei ôl yr adeg honno. Pregethai ar lori yn Nhalysarn
unwaith ar noson o haf, a hyfrydwch ei huotledd, os nad oedd yn
cael llawer o argraff, yn rhoi pleser i blentyn deg oed. Yn ddi-
weddarach, ym mhulpud crand capel mawr y Twr-gwyn ym
Mangor, yr un llais cyfoethog, meddal, a'r un gallu i hoelio sylw
ei gynulleidfa ac i'w chadw yn llwyr o dan ei reolaeth. Dweud
ei destun deirgwaith. 'Yr oedd rhyw wraig . . . ' y tro cyntaf.
'Yr oedd rhyw wraig weddw . . ' yr ail dro. A'r trydydd tro,
'Yr oedd rhyw wraig weddw dlawd', a'r holl gydymdeimlad
tyner gyda thlodi'r hen wraig yn fwrlwm yn sain y 'tlawd'. Yn
ystod y bregeth disgrifiai fachgen bach a drych yn ei law yn
sefyll ar balmant y stryd yn llygad yr haul ac yn fflachio adlewyrch
o oleuni'r haul trwy'r ffenestr i ystafell wely ei chwaer oedd yn
wael. Wynebai'r ffenestr i'r gogledd ac nid oedd yr haul byth
yn tywynnu iddi, ond yr oedd ei brawd am i'r eneth bach gael
gweld yr haul. 'Mae gennym ninnau Frawd . . . ' Flynyddoedd
wedyn yn ddiweddarach a mwy o arian yn ei wallt a mwy o
gyfriniaeth yn ei bregeth ar fore Sul tenau mewn capel moel yn
Llŷn a'r gynulleidfa at ei gilydd dipyn yn hŷn na chynulleidfa'r
Twr-gwyn. Ond yr un ymdeimlad â geiriau a'r un ymgolli yng
nghynllun celfydd y mynegi. Mewn gair, yr un pregethwr.
Meddalwch? Efallai wir. Teimladrwydd? Mae'n bosib iawn.
Gwir beth bynnag.

Mae amryw o lwybrau a ffyrdd diddorol ar y llethrau yn ôl
o'r Pistyll oddi wrth y môr ac i'r wlad. Gwlad lom ydyw a
llawer o dir defaid a thir mynydd yn perthyn i'w ffermydd.
Llithfaen fel gwyliwr ar y llethrau uwch ei phen a hithau yn
ymddwyn yn weddaidd wrth ei ymyl, ond wrth bellhau yn
mynd yn fwy mentrus o hyd ac yn beiddio tyfu ambell glwstwr
o goed a rhoi dyfn pen rhaw o bridd ar wyneb y graig. Mae
ffordd yn ôl i Lithfaen o Lwyndyrys, a gellir teithio ymlaen o

ymyl y capel i gyfarfod y ffordd o Bentreuchaf. Ond y mae dewis
o ffordd arall, sef troi wrth Dyddyn-y-Felin a naill ai dilyn glan
yr afon Erch ar lwybrau'r pysgotwyr neu ddilyn ffordd arw
heibio Penfras Uchaf. Daw'r ffordd at lan yr afon ychydig ar ôl
pasio'r fferm, ac yno ar godiad tir sydyn yr ochr arall i'r afon
mae eglwys Carnguwch. Mae dod ar draws yr eglwys wrth ddod
i fyny'r afon yn dipyn o sioc, yn enwedig os bydd y teithiwr
wedi dilyn yr afon yn ofalus a gwylio'i throadau a'i thorlennydd.
Yna o'i gweld yn rhedeg yn lân mewn hafn agored, codi ei olwg
a gweld yr eglwys yn edrych dipyn bach yn amheus arno a pheri
iddo daro ei law ar ei boced i wneud yn siŵr bod ei drwydded
ganddo. Mae'r llwybr i fyny at yr eglwys o lan yr afon yn serth
iawn, ond ar ôl ei chyrraedd mae'n esmwythach i gyfeiriad
Llech Engan ac yna yn ei flaen dros ysgwydd Mynydd Carn-
guwch am Lithfaen.

Dal i ddisgyn yn raddol wna'r tir o Lwyndyrys i gyfeiriad
Pwllheli. Mae ffordd syth o ymyl y capel eto yn arwain yn fuan
i ffordd fawr Caernarfon ond mae'n anniddorol ac yn werth ei
hosgoi. Y modd i'w hosgoi ydyw dilyn ffordd groes ar y dde ar
ôl pasio'r capel wrth fynd o Dyddyn-y-Felin. Mae hon yn dod
allan i gyfarfod ffordd adnabyddus iawn sy'n cysylltu Eifionydd
a Llŷn, lôn Rhos-fawr. Capel a dyrnaid o dai ar fin y ffordd ydyw
Rhos-fawr, a'r gyrchfan fwyaf arferol yn yr ardal yn y blyn-
yddoedd hyn ydyw gwaith llifio Hendre Bach. Er mor uchel
ydyw'r domen llwch lli sydd y tu allan, ac er cymaint o goed
sydd o gwmpas, Cymry glân gloyw yw'r 'bobol'. Gweithdy
saer cefn gwlad wedi datblygu ac arbenigo ydyw, ac yn dal i
ddatblygu agweddau newydd diddorol fel troi siafins y peiriannau
yn welyau ieir goleuniedig y gymdogaeth. Trwy sgrech y lli
gron daw un o'r perchenogion â gwên lawen i groesawu dyn
dieithr na fydd yn ddieithr yn hir. Nid oes yma raddfa o groeso
wedi ei selio ar faint yr archeb. Yn wir mae yma lawn cymaint
o groeso i'r sawl a fyn wybod beth sy'n digwydd mewn gwaith
llifio. Coed cartref a choed tramor ydyw prif raniad y fasnach,
ond y mae yma bethau mwy diddorol na masnach. Cael golwg
ar bwmp pren a fyddai'n gyffredin i godi dŵr yn yr ardaloedd
ers talwm, a hwnnw wedi ei weithio allan o un darn cyfan o

goeden wedi ei thyllu yn ofalus ar ei hyd, ac y mae'r hynaf o'r
ddwy genhedlaeth bresennol yn cofio mynd i drwsio un o'r
pympiau hynny. I gysylltu oes y pwmp a'r fecanyddiaeth drydan
o'i gwmpas yr oedd dau saer medrus yn brysur yn gwneud crib-
iniau gwair oedd yn edrych mor abl i godi poen yn y meingefn
a swigod ar gledrau'r llaw ag unrhyw gribin a fu erioed. Yn y
gegin yn y tŷ mae mainc hir o dan y ffenestr, a'r bwrdd o hyd y
fainc lle gallai'r criw i gyd fwyta pan fyddai lle a gwaith i
brentisiaid gyda seiri coed. Yr oedd cysylltiadau agos gan y teulu
ag Enlli, ac aeth rhywun i estyn dyddiadur yr hen ewythr oedd
wedi bod yn weinidog yno ac a oedd wedi croniclo hanes blyn-
yddoedd codi'r capel ar yr ynys. Y glanweithdra a'r trylwyredd
sydd o gwmpas crefftwr da ydyw'r argraff a adewir ar feddwl
dyn wrth iddo ddod allan o aroglau melys y coed a sŵn blaenllym
y peiriannau miniog i lôn Rhos-fawr.

Mynd yn ôl ac osgoi Y Ffôr unwaith yn rhagor, ac i orffen
crwydro'r mân bentrefi, troi ar y chwith a mynd trwy Bentre-
uchaf i Lannor. Ar ôl bod hyd lechweddau'r ucheldir, teimlad
braf ydyw dod i le bach clyd fel Llannor. Swatia ar wastadedd lle
mae dwy afon yn llifo wrth eu pwysau, a saif yr eglwys gyda'i
thŵr sgwâr yn gadarn i warchod ei phentref. Lle i'w fwynhau,
a'i neilltuedd yn rhan fawr o'i swyn. Mae'n hawdd iawn mynd i
felancoleiddio mewn lle fel hyn, yn arbennig wrth gofio am
ambell linell fel eiddo John Thomas, Siôn Pen Ffordd Wen, a
aned yn yr Allt Ddu ym mhlwyf Llannor yn 1757.

Gorau glain geir o'i glynoedd,
Gwinllanoedd gawn yn llawnion.

Ond y mae enw arall wedi ei gysylltu â'r plwyf, ac nid oes fawr
o ddeunydd breuddwydio yn yr hanes a geir am y gŵr hwnnw
yn *Nrych yr Amseroedd*. John Owen ydoedd, erlidiwr ffyrnig y
Methodistiaid cynnar, a gwrthrych atgasedd Dorothy Ellis. Ei
glochydd, William Roberts oedd awdur yr anterliwt, *Ffrewyll y
Methodisitiaid* yn ymosod yn fwyaf arbennig ar Forgan y Gogrwr.
Gŵr gwahanol iawn i John Owen ydyw rheithor presennol y
plwyf. Mae'n Gymro trwyadl, ac oherwydd hynny cysylltir
prydferthwch pentref Llannor â'r hyn y dylid cysylltu prydferth-
wch pob llathen o'r erwau hyn, â Chymru.

Tua Phwllheli

Mae Gwenni aeth i Ffair Pwllheli yn dal yr un fath o hyd. Bydd yn symud nerth traed i orffen ei gwaith ar ddiwrnod ffair, a cherdded ar hyd y ffordd bach oddi wrth y tŷ trwy'r mwd ym mis Tachwedd neu'r llwch ym mis Mai, i gyfarfod y bws ym mhen y lôn. Peth braf iawn fydd cael bod yn sŵn miri a dwndwr pobol yn llond y strydoedd, a mynd i'r Maes a hwnnw yn llawn o bobol o bell yn gwerthu; pobl ag aur yn eu dwylo ac yn eu dannedd, pawb wrth ei stondin ei hun yn cynnig ffrils a phaent a phlatiau a ffortiwn. Go brin y bydd *o* yn y Maes yma, ond efallai y bydd o wrth un o'r stondinau saethu yn y ffair wagedd, yn saethu yn well na neb sydd yn y lle, a phedair pluen wedi eu claddu ynghanol y targed, a'i lygad, wrth iddo droi o gwmpas, yn falch, yn edrych am eiliad ym myw ei llygaid hi. Fel Tir Na n-Og. Efallai mai yn Ffair Calan Gaeaf yr oedd Gwenni, cyn i'r goleuni trydan ddod i oleuo'n boeth o gwmpas y stondinau, pan oedd lampau paraffin yn chwythu eu fflamau glas-felyn fel nadroedd bach yn dod o'r nyth. Hanner blwyddyn o dymor gaeaf cyn y daw ffair eto. Ond pan ddaw Ffair Ŵyl Ifan, Gŵyl Ifan Ha', pan fydd blodau yn y gwrychoedd a'r perllannau, ac aroglau gwyddfid hyd lwybrau'r wlad, bydd y ddau wedi gweld ei gilydd yn gynnar yn y pnawn i wau eu hunain i batrwm oesol newydd y ddynoliaeth. Mae pob Gwenni sy'n mynd i Bwllheli heddiw yn gwau yn gyflymach o lawer wrth ffasiwn yr oes na'r un aeth yno i brynu padell bridd. Maent yno bob nos Sadwrn, yn taro dur eu sodlau meinion ar y palmant mor glir ag y trawyd pedol clocsen ar garreg erioed, a hen, hen ddynfa yn peri iddynt ddod i gerdded c'ledwch stryd yn lle meddalwch sofl a gwndwn. Dod i edrych yn ffenestri'r siopau, dod i fwyta'r tatws a dyf ar eu ffermydd, ac yn nhywyllwch mwyn y neuaddau, i wylio gofid a galar, swyn a serch, a chrio a chwerthin y ddynoliaeth ar eangderau'r sgrin. Ac yn hyn, deil 'Y Dre' i fod yn gymaint o

ran o batrwm bywyd y cylchoedd ag y bu erioed, er nad oes
ganddi fawr ddim byd arbennig i'w gynnig.

Yr oedd trai a llanw yn rhedeg dros lawer o'r erwau y saif
rhannau o'r dref arnynt heddiw, cyn i'r afonydd a'r môr, wrth
gydweithio hefo'r gwynt, godi gwrthglawdd a rhoi tir lle'r
oedd tywod a rhoi twyni lle bu tonnau. Bu'r môr a'r gwynt yn
adeiladu am flynyddoedd, ac ymhen amser yr oedd y llanw yn
golchi dros ddŵr y pwll ar y gwastadedd ddwywaith bob dydd,
a dim cyfle iddo gael glanhau a chroywi. 'Pwll heli, pwll
halan, pwll 'gosa i bwll uffarn.' Aeth y blynyddoedd yn gan-
rifoedd. Cwympodd Llywelyn ap Gruffydd, a dygwyd rhyddid
y genedl oddi arni,

> Och hyd atad Dduw, na ddaw mor dros dir,
> Pa beth yn gedir i ohiriaw.

Yr oedd Y Tywysog Du, un o dywysogion Lloegr, yn dwyn
cyrch ar ôl cyrch llwyddiannus yn Ffrainc, ac fel pob rafin
ystyriai ei gyd-ysbeilwyr yn gyfeillion yr oedd yn rhaid eu
gwobrwyo a thalu iddynt am eu cymorth iddo. Un o'r cyfeillion
hyn oedd Nigel de Lohareyn, ac iddo ef yn y flwyddyn 1355 y
cyflwynodd y brenin Bwllheli fel bwrdeisdref yn gydnabydd-
iaeth iddo am ei wasanaeth.

' . . . ddarfod i'r Brenin trwy ei rasusol allu roddi i gadw
i ofalaeth ei annwyl a'i ymddiredol was Nigel de Lohareyn
drefi Pwllheli a Nefyn . . caniatau i'r ddwededig dref Pwllheli
fod o hyn allan ar air a gorchymyn ei Fawrhydi a'i etifeddion
yn Fwrdeisdref Rydd ac i'w thrigolion fod yn freiniol fel y
mae i drigolion Niwbwrch ym Môn fod yn freiniol o dan
nawdd a gair ei Fawrhydi trwy law ei ufudd a'i ymddiredol
was Nigel de Lohareyn . . . '

Ni ddaeth y clwstwr bach o dai o gwmpas y pwll erioed yn lle
mawr pwysig. Ni chodwyd muriau i'w amddiffyn, ac ni fu
erioed yn ganolfan milwrol. Ond yr oedd tref Pwllheli wedi
dechrau ar ei gyrfa fel uned sefydledig yn Llŷn.

Pan fydd glawogydd trymion yn y gaeaf yn peri i afon
Rhyd-hir orlifo'i glannau wrth y tyrpeg ar y ffordd i Lŷn, bydd
y dŵr yn sgubo yn uwch o lawer pan fydd yn llanw, ac yn cilio

pan red y trai. Bydd pobl y rhes tai sydd ar fin y ffordd ac wrth
lan yr afon yn dal eu gwynt tra bo'r llanw yn codi rhag i'r mwd
melyn ymlusgo hyd lawr eu ceginau a'u parlyrau. Ond dim ond
rhoi tro i'w hen gynefin y bydd y môr. Mae yn y dref a'r ardal
amryw o bennau a thrwynau o dir a enwyd pan oeddynt yn
sefyll ar fin y dŵr ac yn cael eu codi fel marciau'r lan gan y
cychwyr, ond y maent i gyd yn o bell oddi wrth y môr erbyn
hyn, a llawer o'r gwastadedd sydd rhyngddynt wedi ei drin a'i
gnydio. Mae'r cychod pysgota yn dal i fynd allan, a gellir prynu
mecryll yma yn yr haf fydd bron iawn yn ddigon ffres i neidio
oddi ar y badell ffrio. Pysgod wedi eu halltu fyddai un o fwydydd
pwysig y cyfnod pan oedd lle fel hyn yn dibynnu mwy ar ei
adnoddau ei hunan. Fesul tipyn aeth y cychod pysgota yn hyfach
a mentro ymhellach, a bu gan Bwllheli fel Porthmadog ei
chyfran o brysurdeb y môr ym mlynyddoedd y llongau hwyliau.
Wrth angen y llongau yr adeiladwyd harbwr yma, a gorffen-
nwyd y gwaith ar yr harbwr fel y mae heddiw tua dechrau'r
ganrif ddiwethaf.   Costiodd bedair mil ar ddeg o bunnau pan
oedd arian yn ddrud a llafur a defnydd yn rhad. Daeth llawer o
gerrig ei furiau o chwarel Carreg yr Imbill a fu'n ffynhonnell
doreithiog o ithfaen at adeiladu am gyfnod maith. Pan oedd yr
harbwr yn ei fri, rhaid bod yma brysurdeb gwaith a llawer o
fynd a dod.

> Hen longwyr tre Pwllheli,
>   Ble buoch ar eich hynt?
> A welsoch wledydd tramor
>   Wrth hwylio o flaen y gwynt?
>
> Hyd lyfnion lawntiau'r tonnau
>   Ac esmwyth lwybrau'r lli,
> Lle chwyth deheuwynt meddal
>   Yn dawel hwyliwn ni.
>
> O Rotterdam i Lundain,
>   O Sbaen i Harbwr Corc,
> O Bortinllaen i Buenos Aires,
>   O Lerpwl i Niw Iorc . . .

Bydd yma ddigon o brysurdeb ym misoedd yr haf o hyd, ond y mae gwahaniaeth mawr rhwng ffrwcsian ymwelwyr yn ôl ac ymlaen a'r urddas a'r pendantrwydd pwrpas sydd mewn lle â gwaith ynddo.

Mae rhywbeth yn ddigon tebyg i'r ddynoliaeth ei hunan mewn trefi a phentrefi o waith dwylo dynion. Maent yn ddigon diddorol a golygus ambell dro, a thro arall yn fursennaidd ac yn ddigon annymunol. Gall Pwllheli fod yn hoffus iawn ar bryn-hawnau braf o Wanwyn neu Hydref, ond wfft iddi pan fydd yn pletio i'r bobl ddieithr yng nghanol haf. Fel pawb, buasai yn llawer mwy diddorol iddynt wrth ymddwyn yn naturiol. Diolch i weledigaeth a brwdfrydedd rhywun, cafodd enwau Cymraeg le amlwg ar ei strydoedd, ac amheuthun iawn ydyw gweld 'Allt Salem', 'Stryd Fawr' ac eraill. Ffordd ysgafn braf i'w cherdded ydyw'r ffordd ar hyd y Cob i lan y môr. Wedi gadael y dref wrth Faes yr Orsaf mae golygfa fawreddog o'r mynydd-oedd pell dros rimyn o Fae Ceredigion ar y chwith dros ddŵr llonydd yr harbwr gwag. Ar y tir tywodlyd wedi croesi'r Cob mae'r stad dai Cyngor, Bron y De, ac ar y dde try'r ffordd ar hyd glan y môr. Bu deunydd breuddwydio yn y ffordd hon.

Yr oedd enw Solomon Andrews yn enw cynefin iawn ym Mhwllheli ym mlynyddoedd olaf y ganrif ddiwethaf. Ef oedd y dyn oedd biau'r breuddwyd y mae cymaint o'i weddill i'w **weld** o gwmpas o hyd. Efallai iddo freuddwydio am

. . . . gyfoeth mwy
Na chyfoeth ffermwyr Llŷn

yn llythrennol. Un o Gaerdydd ydoedd, a dyna egluro enw 'Ffordd Caerdydd', sydd yn cychwyn wrth ymyl y Post ac yn dod allan ym mhen arall y traeth o Fron y De. O'r pen Gor-llewinol yma, lle codwyd y tai ffroenuchel, nodweddiadol iawn o'r ganrif ddiwethaf, rhed y 'prom' gyda'r traeth. O gerdded ar ei hyd ac edrych allan i'r môr gellid yn hawdd iawn dybio mai dyma un o'r trefi glan y môr hollol ystrydebol ac na fyddai eisiau ond croesi'r ffordd lydan i gerdded palmant o flaen tai a gwestai mawr neu siopau lliwgar. Ond gwellt gwyn y dwnau a thywod melyn glan y môr sydd yr ochr arall i'r 'prom' ym Mhwllheli. Y ddau ben wedi eu cychwyn yn daclus, ond dim byd yn y canol, fel cloriau llyfr crand a dim llyfr yno. Aeth pethau o chwith yn rhywle. Ymlaen heibio Ffordd Caerdydd mae'r Recri, y cae ffwtbol a'r cyrtiau tenis a'r cwrs golff. Rhan o freuddwyd Solomon Andrews oedd dechrau'r lleoedd hyn hefyd. Chwarelwyr o Ffestiniog ac o ddyffrynnoedd Arfon oedd ymwelwyr haf y blynyddoedd hynny, ac ar eu cyfer hwy y paratoid. Yr oedd hen wraig oedd yn byw ar ochr Mynydd y Cilgwyn yng Ngharmel, 'yn cofio yn iawn fel y bydda Rhisiart a finna yn mynd i Bwllheli, smalio-bach-yn-bobol-ddiarth am bythefnos yn yr ha cyn geni'r hen blant 'ma.' Cofio am y siwrnai yn y tram oddi yno i Lanbedrog gyda glan afon a môr, y cer-bydau agored braf a cheffylau yn eu tynnu ar reiliau nes eu bod yn symud, 'fel 'tasa ti ar glustog blu'. Dyddiau y tai bwyta a'r Temprans. Lleoedd fel 'Madryn' lle byddai lliain gwyn glân wedi ei startsio nes y teimlid ei ymyl fel ymyl dalen o bapur ar benglin noeth mewn trywsus cwta. Un bwrdd hir ar hyd yr ystafell a chinio ganol dydd a the plaen neu de a chig yn y pnawn. Cig biff brau gwartheg porthiannus gweirgloddiau glannau'r afonydd. Ond er cymaint a freuddwydiodd y blyn-yddoedd hynny am y ffyniant oedd yn y dyfodol, troi yn groes fu hanes pethau, nes bod y llaciau rhwng y clystyrau o adeiladau ffug-fonheddig yn edrych yn chwithig ac anystig. Fel ffarmwr iach wedi ei wasgu i glydwch anghyfforddus siwt bol deryn a thei bô.

Mae'r Lôn Dywod a Phen-mownt a Phen-y-lan ynghanol y dref erbyn hyn, a'r rheilffordd yn rhedeg i'r orsaf rhyngddynt a'r môr ac o'i olwg. Cyn rheoli'r llanw ac adeiladu'r harbwr, ni ellid dod â'r ffordd haearn i ganol y dref, a rhaid oedd ei gadael i orffen lle mae'r 'hen stesion' bresennol. Ar ôl adeiladu'r harbwr a chodi'r Cob yr oedd modd dod â'r rheilffordd ymlaen, ac adeiladwyd gorsaf newydd iddi ar y safle bresennol. Yr oedd mynd gwyllt ar bethau a dim amser i adeiladu yn barhaol. Codwyd adeilad pren dros dro sydd yn aros o hyd, ac erbyn hyn wedi goroesi poblogrwydd a phwysigrwydd yr orsaf. Ni chafodd y glo a'r nwyddau erioed ddod i'r orsaf newydd yma a rhaid iddynt fodloni o hyd ar eu hen gartref cyntaf yr ochr arall i'r afon Erch. O'r hen stesion y cychwynnodd llawer llanc o Lŷn i'r porth-

laddoedd mawr i gyfarfod y llongau oedd am hwylio ar led, a
llawer merch ifanc uchelgeisiol i weini yn y tai brics cochion yn eu
gerddi trymllyd yn Lerpwl. Anaml y teithiai pobl Llŷn i bellter byd
y tu hwnt i'r Eifl, ac felly 'doedd waeth i'r anghenfil haearn yma
aros yr ochr bellaf i'r afon Erch na pheidio. Byddai ffair a marchnad
yn y dre yn hen ddigon iddynt hwy. Byddai dyddiau'r ffeiriau
yr un fath bob blwyddyn gan ddechrau gyda Ffair Newydd ar y
pymthegfed o Fawrth, Ffair Bach ar y dydd cyntaf o Fai, Ffair
Gynta' Ha—ffair fwya'r flwyddyn—ar yr ail ar hugain o Fai,
Ffair Wyl Ifan, Ffair Awst, Ffair Wyl Grog, ac ar y cyntaf o
Dachwedd, Ffair Bach arall ar gyfer ffermwyr oedd yn dygn
gasglu arian cyflogau at ben tymor, a'r arian yn brin o bris
anifail neu ddau. A cheid marchnad bob wythnos i'r sawl a'i
mynnai, a marchnad arbennig at y Nadolig, y Farchnad Felys.

Bydd swyddogion y Cyngor Tref yn cyhoeddi dyddiad
arbennig ar gyfer y Farchnad Felys bob blwyddyn, ac y mae
gweddill bach ohoni ar gael o hyd. Agorir Neuadd y Dref yn yr
adeilad coch yn Stryd Pen-lan dridiau neu bedwar cyn diwrnod
Nadolig, ac ym mwrllwch niwlog y dydd byr bydd pawb fel
pobl wedi cytuno i chwarae bod-ers-talwm, a waeth cyfaddef
mwy na pheidio, mae rhyw swyn rhyfedd yn yr holl brysurdeb.
Cymysgedd o arogleuon yn lleithder yr awyr, ac aroglau saim
gŵydd yn a thrwy bob aroglau arall. Y gwerthwyr yn rhadlon
a hyderus y tu ôl i'r byrddau, a'u nwyddau seimlyd o'u blaenau.
Dim ond un neu ddwy o wyddau ar eu gwely o bapur sidan ar
y bwrdd, a'r gweddill yn ddiogel dan y llieiniau yn y fasged
ddillad o'r golwg. Y prynwr yn ddifrif betrusgar yn symud yn y
tyndra pobl o'r naill fwrdd i'r llall, ac wrth geisio osgoi edrych
i wyneb y wraig fawr writgoch a'r gwyddau meinion, yn cael
ei ddal gan ddau lygad ymbilgar y wraig denau lwyd. Gwyddau
glân, cynhesol, llyfndew, ac asgwrn eu brest yn ystwyth fel
walbon rhwng bys a bawd. Bargeinio, a'r termau wedi newid
fawr ddim er dyddiau eu neiniau. Y wraig yn pacio'r ŵydd mor
ofalus â phe byddai'n lapio babi. Cilwg o gyfeiriad y wraig
writgoch yn peri i'r prynwr druan deimlo'n euog, ond diflannodd
y cilwg wrth i brynwr tybiedig arall ei ddatgysylltu ei hun o'r
dyrfa a sefyll o flaen y gwyddau meinion. Talu a 'Dolig llawen i

chi', ac allan i sefyll ar y palmant â'r wydd yn ddiogel dan ei
gesail. Ac allan yno, a hithau'n dechrau'n nosi, teimlo ias
o dosturi dros y wraig oedd yn gorfod dal i sefyll i gynnig y
gwyddau tenau i bobl. A hithau yn edrych mor dda 'i hun.
Gr'yduras. . . . Erbyn gyda'r nos, a'r gwynt yn oer, bydd y
bargeinwyr yn dechrau cyrraedd a marchnad felys arall yn tynnu
i'w therfyn. Gobeithio bod y ddynes wedi gorffen gwerthu cyn
i'r bobl gyda'r nos fydd am 'brynu dros eu pennau' ddechrau
gwneud hafoc ar bethau. Ond wedyn, maent hwythau yn rhan
o'r farchnad ac efallai mai'r gymysgedd o bobl sy'n gefndir iddi
sy'n peri ei bod yn dal i ddigwydd.

Y Neuadd Dref ddiweddar ydyw'r neuadd lle cynhelir y
farchnad. Mae'r hen neuadd dref wrth ymyl yn Stryd Pen-lan,
ei llawr yn warws erbyn hyn, a'r ystafelloedd uwchben yn cael
eu defnyddio gan y Cyngor Tref o hyd. Yno y mae ystafell
ymgynnull swyddogol y Cyngor. Oddi yno yr estynnwyd y
gwahoddiad i'r Eisteddfod Genedlaethol i'r dref yn 1955, ac o
gofio hynny, prin y gellir anghofio cysylltiad agos Cofiadur yr
Orsedd a'r Dirprwy Archdderwydd â'r dref. Nid y cysylltiad
arferol rhwng bardd a'i gefndir a'i gynefin sydd rhwng Cynan a
Phwllheli. Mae'r cysylltiad hwnnw yma, ond y mae yma hefyd
ddyfnach a llawer nes cysylltiad. Gwelodd Cynan fannau o
gwmpas y dref a throes ei brofiad ohonynt yn farddoniaeth, ac
y mae llawer o'r canu hwnnw yn llwybrau cynefin llenyddiaeth
erbyn hyn. Y tu mewn i'w phatrwm ei hun o deimlad, y mae
holl angerdd hiraeth a siom y miloedd o fechgyn o Gymry a
aeth yn borthiant i'r arglwyddi rhyfel yn 1914 - 18, yn llenwi'r
melyster moethus sydd ym 'Mab y Bwthyn'. Y tu ôl i fynegiant
syml y gân mae chwithdod y dadrithio a greodd genhedlaeth o
ddynion gwasaidd. Nid oedd rhyfel iddynt hwy yn orchest a
allai droi eu dioddefaint yn ddewrder i'w cynnal.

O gymhlethdod teimladau fel hyn, wedi eu gwyrdroi a'u
trawsnewid, y daeth symlrwydd eglur llawer o'r bryddest:

> 'Does dim wna f enaid blin yn iach
> Ond dŵr o Ffynnon Felin Bach.
> Sawl tro o dan ei phistyll main

Y rhoddais biser bach fy nain?
Tra llenwid ef â dafnau fyrdd
Gorweddwn ar y mwsog gwyrdd.

Yr oedd yn rhaid cael cyfiawnhad i'r dioddefaint o rywle.

'Does neb a ŵyr pa bryd y tarddodd
Na pha sawl calon drom a chwarddodd
Dan bistyll Duw a'r heulog li
A lawenychai 'nghalon i,
Ond digon yw er llifo cyd
I lenwi holl galonnau'r byd.
'Does dim wna'r galon drom yn iach
Fel dŵr o Ffynnon Felin Bach.

Ac y mae apêl hir ei pharhad mewn dull arbennig o ganu serch,

Gwen annwyl, tyred yno'n ôl
I'r lle mae hedd ar fryn a dôl.
Eisoes daeth haf i'th fro dy hun
I rannu lliw hyd fryniau Llŷn.
O'r gwae, o'r cabl, ac o'r ffug
Tyred yn ôl i nef y grug.

Taith prynhawn byr ydyw cychwyn o Stryd Fawr y dre, ar hyd
Lôn Llŷn, yr hen ffordd, a thros ysgwydd y Garn i lawr ffordd
gul goediog, a heibio Ffynnon Felin Bach, a dod allan wrth
Ben-sarn gyferbyn â Phlas Bodegroes. Gyda'r ffordd yn ôl i'r
dre ar hyd y gwastadedd mae Afon Rhyd-hir yn llusgo'n ara deg,
a chyfarfod, ymhen ychydig ar ôl pasio'r bont, ag Afon Tal-
cymerau. Y mae'r hudoliaeth yma o hyd, ac efallai fod yma,

Hwiangerddi tyner, araf,
Hanner lleddf ganeuon hen,
Megis sibrwd un a garaf
Rhwng ochenaid serch a gwên.

Cerddi'r haf ar fud sandalau'n
Llithro dros weirgloddiau Llŷn,
Cerddi am flodau'r pren afalau'n
Distaw ddisgyn un ac un.

19. Penlan Fawr.

20. Ffynnon Felin Bach.

21. Harbwr Pwllheli.

Cerdd hen afon Talcymerau
   Yn murmur rhwng yr eithin pêr
Fel pe'n murmur nos-baderau
   Wrth ganhwyllau'r tawel sêr.

Canodd beirdd eraill i'r dref, o Ieuan Tew,
   Pena marchnad gariadfawr
   Palmant lle mae marsiant mawr.
   Cael dawn digon ohoni
   Cael llonge i'w hafne hi.

A Morus Dwyfach,
   Diddig ym yn dueddawl
   Dario'n ei mysg i drin mawl;
   I gael budd, ufudd ofeg,
   A dawn ym Mhwllheli deg.

hyd y Cywydd Croeso a anfonodd Charles Jones, yn 1955,
   O heulog dre Pwllheli,
   O gwr y llain ger y lli,
   O gyrrau y deg oror
   Aml ei maes, hen deml y môr.

Ym Mhwllheli y ganed Megan Jones, a ddaeth yn enwog fel
Leila Megane ym mlynyddoedd cynnar y ganrif hon. Aeth i
ddysgu canu i Lundain ac i Baris, a bu, yng nghyfnod ei phoblo-
grwydd, yn canu ym mhrif ddinasoedd Ewrop ac ym mhrif
ganolfannau'r Eidal. Datblygodd gynhyrchu ei llais nes ei fod o
dan reolaeth anhygoel, a chostiodd y rhwyddineb oedd yn ei
chanu pan oedd ar ei gorau lawer o waith caled iddi. Efallai mai
ei mantais fawr fu cael cychwyn a roddodd iddi barch at grefft
ei chelfyddyd, a gwneud iddi sylweddoli mai hanfod cyrraedd
yn uchel oedd gweithio'n galed. Daeth yn ôl i dreulio diwedd ei
hoes yn ardal ei maboed. Wedi iddi fod yn 'crwydro cyfan-
diroedd', peth braf iawn oedd ei gweld ym Mhen Cob ar adeg
lecsiwn yn dadlau'n daer dros y wlad,

       '. . . . a'i chyfoeth yn ei hanes,
    Gymru annwyl, Gymru hardd,'
y canodd gymaint amdani.

F

Peth braf iawn arall fyddai cael gadael Pwllheli ar hyn, yn hen dref farchnad gartrefol Gymreig. Sleifio allan yn ôl i Eifionydd neu ymlaen i Lŷn a'i gadael i bendympian ar ei thwyni tywod. Ond mwya'r gresyn, dim ond rhan o'i stori fyddai hynny. Cymysg fu'r gorffennol, ac y mae rhai o'r ergydion wedi gadael creithiau ar eu holau, ac y mae ambell sgarmes ddiweddar wedi gadael briwiau agored. Lle yr oedd gwartheg a defaid fferm Penychain yn pori ar y gwastadedd ar lan y môr y mae un. Yn ystod y rhyfel, tua 1940, cafodd cwmni adeiladu hawl gan Lywodraeth Llundain i godi gwersyll ar gyfer y llynges. Ym mlynyddoedd y tywyllwch rhedai'r cabanau bach yn rhesi duon taclus fel strydoedd o dai wedi eu cynllunio yn ofalus o ymyl y rheilffordd a glan y môr i fyny at fin y ffordd fawr o Bwllheli i Afon Wen. Wrth ymyl y ffordd yr oedd amryw o'r adeiladu eang a'r neuaddau mawr. Ychydig a ddychmygodd llawer llanc a fu'n breuddwydio am gartref yng ngwersyll y llynges beth fyddai hanes y gwersyll pan fyddai'r lladd a'r difetha drosodd. Fel bob amser, croesawai rhai y gwersyll gwyliau a breuddwydio am ffermwyr Llŷn yn casglu 'cyfoeth mwy' wrth werthu tatws i dorri newyn y bobl a ddeuai yno ar eu gwyliau, a gwrthwyn-ebai'r lleill yn ffyrnig gyda'r un siarad delfrydol ag arfer am ddiwylliant a ffordd o fyw. Siomwyd y naill ochr a'r llall gan yr un amgylchiadau. Ychydig o datws Llŷn sy'n mynd drwy gorn gyddfau'r gwersyllwyr, ac ychydig o ffordd o fyw'r gwersyll-wyr sy'n cael ei lyncu gan dyfwyr tatws yn Llŷn. Yn ei fflagiau, ei flodau rhodresgar a'i liwiau ffyrnig yn yr haf, dyma un lle na fydd rhaid i'r crwydrwr a fyn ei weld chwilio yn hir amdano. Ei osgoi fyddai'r gamp. Ofer fyddai hiraeth Cynan hefyd, a llawer gwell fyddai iddo ddewis yr eos yng Ngroeg erbyn heddiw na 'glan môr' Berch' sydd y drws nesa' i'r gwersyll.

> Ac er bod yma eos bob nos yn canu ei serch
> Mi rown y cyfan heno am draethell Abererch
> A chri'r gwylanod, lleddf eu côr,
> Ym min y môr, ym min y môr.

Y drws nesa yr ochr arall mae gorsaf Afon Wen mor ara deg ag y bu erioed. Yn ei ddarlithoedd ar Hanes Cymru byddai'r

Dr. R. T. Jenkins yn sôn am ddarn o wlad oedd yn cychwyn o Afon Wen, a gofalai ddweud 'os bydd rhywbeth rwydro yn cychwyn o Afon Wen'. Ac eto, gellid yn hawdd dreulio hanner awr ddifyr ar lan y môr sy'n glos wrth y platfform yno. Mae pentref Abererch ar lain goediog neilltuedig ar lan yr afon, ac yn un o'r pentrefi bach mwyaf diddorol a thlws yn Sir Gaernarfon. Ym mynwent yr eglwys y mae bedd Robert ap Gwilym Ddu, ac yno yr oedd y bardd am fynd i weld bedd y ferch a gollodd,

> At byrth Cawrdaf af o Eifion—i lawr,
> Dan ddoluriau trymion;
> Briwiau celyd, braw calon,
> Llwyth mawr ynt, yn llethu 'mron.

Rhaid cofio hefyd am waith ysgeler a fu yr ochr arall i'r dref pan chwalwyd hen ffermdy Penyberth a sgubo'r fferm o fod er mwyn dod â defnyddiau yno i godi'r gwersyll Llu Awyr. Gwelodd rhai obaith i'r fro yn y cynlluniau unwaith eto, ac yr oedd darogan mawr am lwyddiant a ffyniant a gwaith. Mae'n wir mai ysgol i ddysgu bomio oedd ym mwriad yr awdurdodau milwrol, ond nid oedd hynny yn gwneud unrhyw wahaniaeth y naill ffordd na'r llall ymysg y cefnogwyr. Yr oedd gwrthwynebiad mawr o amryw o gyfeiriadau cyfrifol, a gafaelodd y gwrthwynebiad hwnnw yn raddol yn nychymyg y wlad. Yn unol â'r patrwm cynefin anwybyddwyd pob protest a phenderfyniad a dechreuwyd adeiladu yn 1936. Ond yn y plygain ar yr wythfed dydd o Fedi aeth tri o Gymry, Saunders Lewis, L. E. Valentine a D. J. Williams, i Benyberth a thun o betrol ganddynt. Nid oedd neb o gwmpas, ac ar ôl taenu'r petrol dros ddechrau'r gwaith, rhoesant y gwersyll ar dân. Arhosodd y tri yno i weld y tân yn cydio ac yn gafael. Cododd y fflamau i awyr y nos a chordeddu eu hunain yn llawen am y coed a'r defnyddiau. Yn y nos, a Chymru ymhobman yn cysgu, yr oedd y tri yn effro yn gwylio'r tân yn bwyta. Ar ôl gwneud yn sicr y byddai yno ddigon o goelcerth i dynnu sylw, aeth y tri i Bwllheli a'u rhoi eu hunain yn llaw'r heddlu. Mae gweddill yr hanes, y llysoedd, y carchar, y dial brwnt yn ddigon gwybyddus ac afraid atgoffa

neb o'r manylion. Ond mae tristwch a llawenydd yr amgylch-
iadau yn dod yn gliriach o hyd. Tristwch oedd y difrawder a'r
difaterwch, a gwarth y cyfarfod protest lle'r oedd y bradwyr
ariangar wedi talu am ddiod i feddwi rhai o hogia'r dre a'u
gyrru i'r Maes i godi twrw. Llawenydd oedd y gefnogaeth a'r
brwdfrydedd, a chydymdeimlad gwlad, nad oedd y rhelyw o'i
phobl erioed wedi sylweddoli ei bod yn wlad, â'r tri a fwriwyd
yng ngharchar yn Llundain. A chan mai ym Mhwllheli y bu hyn,
rhaid iddi hithau gario baich ei chywilydd a gwyro'i phen
oblegid ei ddigwydd.

Ni raid i'r cywilydd fodd bynnag, leihau dim ar ei balchder
ar adegau eraill, ac y mae ganddi aml lecyn yn ei gorffennol
y gall fod yn ffroenuchel yn ei gylch. Dichon i Oronwy Owen
dreulio peth o'i amser yn yr ysgol yma. Ymwelodd y Method-
istiaid cynnar yn fynych â'r dre a'r cylchynoedd, a chafodd Howel
Harris gyfarfod stormus iawn yma y tu allan i Ben-lan Fawr.
Cadwodd y dref gysylltiad agos â'i chefndir, a dengys hynny hyd
yn oed yn enwau ei siopau, oedd yn enwau ffermydd yn Llŷn
ac Eifionydd. Mae Pwll Defaid yn aros o hyd, a bu rhai fel
Hirwaun a Chae Rhydderch yn brysur ar un cyfnod.

Wrth ddilyn Allt Salem gydag ochr y capel, dringir yn
gyflym i dir uchel uwchben y dref, ac yma y mae adeiladau'r
Ysgol Ramadeg. Dros y rhiw ac ar lethr yn wynebu yn ôl i'r
wlad y mae mynwent Denïo lle'r oedd hen eglwys y plwyf.
Symudwyd o'r eglwys fach i lawr i'r gwastadedd, lle mae'r dref
yn awr, yn 1834, ac yno ar y safle bresennol yr adeiladwyd
eglwys Sant Pedr. Newidiwyd hi ac ychwanegwyd ati yn ystod
y ganrif, a gadawyd hi fel y mae heddiw yn 1909. Adeiladwyd
eglwys fach ar safle newydd yn Denio yn 1859.

Prin iawn y cofiai neb am Bwllheli oherwydd prydferthwch
ei hadeiladau gydag ambell eithriad fel Pen-lan Fawr, sy'n hen a
diddorol. Ac anghofio'i theimladau fel tref am funud, a dweud
y gwir, lle blêr, hyll ydyw. O sefyll ac edrych oddi amgylch o
ganol Y Maes, ymddengys yr adeiladau o'i gwmpas yn union fel
pe bai pensaer wedi casglu gweddillion rhyw flerwch mawr at
ei gilydd i aros nes cael cyfle i'w ddifodi. Digon od ydyw capeli'r
dref hefyd, ac mor ymneilltuol ddi-chwaeth ag arfer. Y ddau

Fethodus, Salem wedi hanner ei gladdu yn y graig a phowld-rwydd sgwâr yn ei wyneb a'i ochrau, a Phen-mownt ym mhen arall y Stryd Fawr yn hyll o'r stryd ac yn hyllach o'r trên. Yr Annibynwyr fel cocyn hitio di-ymgeledd ar ei fryncyn ym Mhen-lan. Y Batus, wrth ochr Neuadd y Dref, fel pe bai wedi dychryn am ei fywyd am i rywun adeiladu meindwr yno, a'r gweddill ohono wedi mynd i'r ddaear o gywilydd, nes bod ei ffenestr fwaog fel ffenestr selar. Y Wesla wedi ei wasgu nes ei fod wedi meinio rhwng tai cuchiog y Lôn Dywod. Mae adeilad bychan Eglwys Rufain ar dir newydd heb fod ymhell o lan y môr.

Dyna dref Pwllheli, ei champ a'i rhemp. Mae wedi bygwth lledu ei hadenydd a datblygu fwy nag unwaith, ond yn ôl un o'i haneswyr hi ei hunan, sydd hefyd yn un o'i phobl mwyaf ffraeth, nid yw'r stori yn debygol o newid llawer. Mae Capten Thomas yn ddelfryd o ddyn môr yn ei osgo a'i ddull. Mae'n awdur llyfr safonol ar un o bynciau astrus llwytho a chario mewn llongau, ond mae'n fwy diddorol fel awdurdod pur ddiogel ar hanes lleol. Mae'n ŵr bonheddig rhadlon a chwrtais yn y tŷ, ond i gael ei orau rhaid ei gyfarfod yn y 'caban', sef sied yn yr ardd wedi ei throi yn weithdy a swyddfa a stydi, ac yn fwy na dim yn gaban y Capten ar fwrdd llong. Bron na ellir clywed sŵn y peiriannau yn troi ymhell yng nghrombil y llong, a gellid taeru bod y llawr concrit sy'n ddiogel ar ddaear plwyf Abererch yn rowlio i ganlyn y tonnau wrth wrando ar yr awdurdod sicr yn llais y Capten. Yr oedd yn bendant iawn ei farn nad oes fawr o obaith i Bwllheli fel tref ymwelwyr haf tra deil i wynebu'r ffordd y gwna, ac y bydd gwynt y de-orllewin yn codi o'r môr. Mae blas y môr ar ffordd y Capten o ofyn pwy fyth fuasai eisiau eistedd ar dywod gwlyb i fod yn sbort i'r gwynt. A chan mai'r gwynt, a thonnau Bae Ceredigion wrth lempian y tywod a rhuthro'r creigiau, sydd wedi gwneud llawer o'r ddaear yma, efallai bod y ddau wedi cydgynghreirio hefyd i gadw eu heiddo iddynt eu hunain.

Mae amryw o Gymry adnabyddus wedi dod o Bwllheli, a chysylltir enwau llawer o gartrefi sydd yn hwntir y dref ag enwau gwŷr o ddylanwad; Syr David Hughes Parry o Benllwyn, a'r

Athro Seaborne Davies o'r Garn.

Mae cysylltiadau hanes amryw o gartrefi eraill sydd o gwmpas yn ddiddorol hefyd. O Blas Llwynrhudol, ar ffordd Caernarfon, yr aeth Thomas Roberts i Lundain yn llefnyn tair ar ddeg oed ar ôl marw ei dad. Prentisiwyd ef yn of aur, a daeth yn ddyn dylanwadol iawn ymysg Cymry Llundain ac yn aelod blaenllaw o Gymdeithas y Gwyneddigion. Crwydrodd hyd y cyfandir ar wahanol achlysuron ac ysgrifennodd nifer o bamffledi. Y mwyaf adnabyddus ohonynt ydyw *Cwyn yn erbyn Gorthrymder*. Cafodd lawer o brofedigaethau yn ystod ei oes, ond un o'r rhai na pharai llwyddiant na siom iddynt ddod yn ôl i'w gwlad ydoedd, ac yn Llundain y claddwyd ef yn 1841.

Yr ochr arall i'r dref, ar y ffordd i Lŷn, y mae Cefn Llanfair, a fu yn stad lewyrchus yn ei dydd, ond a gofir yn arbennig am ei bod yn gartref i'r bardd diddorol, Richard Hughes, a fu farw yn 1618. Mab i Huw ap Rhisiart ap Dafydd ydoedd. Yr oedd y tad yn fardd hefyd, ac ymysg y rhai oedd yn helynt Fforest yr Wyddfa pan garcharwyd gwŷr o Lŷn ac Arfon yn Llundain.

> Dydd da i Lundain, dydd du—i'r tennyn
> A'n tynnodd o Gymru;
> Melltith ein plant, o'i wrantu,
> A fag yn blag yn ei blu.

Pa brofiadau bynnag a gafodd y tad yn Llundain, mynd yno i ddilyn ei ffortiwn a wnaeth y mab, a bu'n ymladd gyda'r Saeson yn Cadiz yn Sbaen. Gwelodd wychter llys y Frenhines yn Llundain, ond mae'n well meddwl mai merched Cymru a ddenodd y bardd i ganu,

> Gwrando f'enaid, gwrando'n rhodd,
> Gwrando draethu'r sut a'r modd,
> A'r gwir achos y rhois i arnad
> Fy llwyr fryd a'm serch a'm cariad.

Y Ferch: Doeth a gwir yw'r hen ddihareb—
> Haws yw gwrando na rhoi ateb;
> Cym'rwch gennad, d'wedwch ddigon,
> Byddwch siwr gael byr atebion.

Y Bardd: Cyntaf man o'th gorff a hoffais,
           Y ddau dduon, loywon, lednais,
           Y rhain a ddichon ag un troead
           Llwyr iachâu neu ladd dy gariad.

Y Ferch: Bychan iawn yw gwraidd dy gariad,
           O chynhwysi fo'n fy llygad;
           Hawsaf man y medra'i guddio,
           Lleia'i swm ond rheitia wrtho.

Pa faint bynnag o gysêt Lloegr oedd ar y bardd, Cymraeg
ystwyth ydyw ei iaith.

Heb fod ymhell o Gefn Llanfair mae fferm Bachellyn. Troi
ar y dde o'r ffordd fawr wrth fferm Crugan sy'n arwain yno.
Mae'n dda cael gadael y ffordd unionsyth yma ar y gwastadedd.
Gellid bod wedi troi ohoni ynghynt i'r chwith, yn fuan ar ôl
croesi Pont Rhyd John dros afon Talcymerau yn ymyl Penyberth.
Pwt o ffordd bach sydyn ydyw honno yn darfod heb ei disgwyl
ar ben gallt isel y môr ar Lan Môr Carreg Defaid. Bydd yn
anniddorol, yn llawn o geir wedi eu gosod yn dynn yn ei gilydd
ar y darnau glas llydan o boptu iddi trwy fisoedd yr haf. Ond
pe digwyddid aros wrth geg y ffordd ym misoedd yr Hydref
neu ddechrau Gaeaf, gellid gweld carafan sipsiwn wedi aros ar
y cytir a fflamau tân yn goleuo cangau hanner noeth y goeden
fawr yn y gwrych uwchben, ac yn adeiladu clawdd o nos yn
gylch o gwmpas y goleuni ei hunan. Stori wahanol iawn ydyw'r
cae gwastad y troir cyn ei gyrraedd yn ymyl Crugan. Mae
hwnnw yn llawn o garafanau diwreiddiau'r presennol ffwdan-
llyd. Wedi gadael y ffordd, croesi'r afon dros ryd heb bont ac i
fyny lôn gul, droellog i wastadedd o dir. Nid oes fawr o arben-
igrwydd yn ffermdy Bachellyn erbyn hyn, ond bu'n lle prysur
a phwysig iawn tua dechrau'r ddeunawfed ganrif pan oedd John
Williams yn byw yma ac yn gweithio fel cyfreithiwr yn ogystal
â ffermwr. Cyfuniad go od erbyn heddiw, ond rhaid ei fod yn
gyfuniad yn talu yn iawn, canys fe ddaeth y John Williams
hwnnw a'i ddisgynyddion yn bobl gyfoethog iawn. Rhoes John
Williams addysg dda i'w fab, Rowland Jones a aned yn 1772, a
daeth yntau yn gyfreithiwr, ac yr oedd yn ieithydd amlwg yn

ei ddydd. Perthyn i ddosbarth William Owen Pughe yr oedd, ac yr oedd ei gyfrol, *The Origin of Language and Nations*, mor fympwyol ffôl â dim a gyhoeddwyd. Y mae deunydd diddorol iawn yn yr ymgais i brofi yn y llysoedd nad mab Bachellyn oedd Rowland Jones, ond mab Crugan, y fferm agosaf. Tua chanol y ganrif ddiwethaf y bu'r dadlau pan geisiwyd profi nad oedd gan un o ddisgynyddion Rowland Jones hawl i etifeddu stad Broom Hall.

Am Bortin-llaen

Gwlad gyfnewidiol ei golygfeydd ydyw Penrhyn Llŷn. Mae ynddi weithiau eangderau llydan y pellteroedd yn ymestyn dros wastadeddau o dir a llyfnder o fôr. Dro arall, gwead o fân fryniau agos a chartrefol. Traethau tywod agored, a chilfachau'r tylwyth teg. Troir o'r naill i'r llall yn raddol weithiau, ac weithiau yn sydyn ac annisgwyl. Mae gwahaniaeth mawr iawn rhwng dringo mynydd yn Eryri, lethr ar ôl llethr nes cyrraedd y copa agored a bod yn edrych i lawr ar y byd i bob cyfeiriad, a dringo bryncyn yn Llŷn, ac ar ôl cyrraedd y copa, yn lle bod yn edrych i lawr, bod yn edrych o gwmpas ar hafn a dyffryn a chraig a chors. Mae llawer o swyn ym mhrydferthwch aruthredd ffyrnig y creigiau a'r clogwyni. Ond cyfaredd yn denu ac yn osgoi, yn bygwth fel rhith ac yn diflannu fel niwl, ydyw cyfaredd Llŷn. Efallai nad mynd i mewn i hanfod pobl fel 'moelni' T. H. Parry Williams y mae'r gyfaredd hon, ond eu tynnu hwy i'w hanfod ei hun a'u carcharu a'u cadw yn rhan ohono fel na feiddiant ei gadael na throi cefn arni.

Gwna Pwllheli ymdrech deg i roi argraff dda ar y sawl sy'n ei gadael ar ei ffordd i Lŷn. Ffordd fonheddig, flonegog yr olwg arni yw Ffordd yr Ala gyda'i thai neilltuedig a'i choed addurnol. Fforchoga'r ffordd fawr wrth Bont y Garreg Fechan, un i Lanbedrog ac Aber-soch a'r llall i Nefyn ac Edern. Ymwthia'r Gors Geirch ei gwastadedd gwlyb i olwg ffordd y gogledd yn awr ac eilwaith, a llithra'n ôl i'w dibenion cyfrwys ei hun drachefn. Nid oes fawr o ymdrech wedi bod i ddefnyddio tir y gors i fawr ddim byd, er y buasai hynny yn ddigon posib gan fod ei daear, fel Gwlad yr Addewid ers talwm,

. . . o natur ffrwythlonawl
Pe cawsai wir wrtaith a thriniaeth addasawl.

Breuddwyd heb gael ei sylweddoli hyd yn hyn ydyw gweld rhannau o'r Gors Geirch wedi eu traenio a'u lled sychu a'u defnyddio i dyfu bylbiau, daffodil a thiwlyp, a lluoedd eraill o flodau Holand a'r Iseldiroedd.

Ffordd wastad lydan sydd heibio Pen-sarn a Bodegroes i bentref Efailnewydd. Mae bygwth adeiladu tai wedi bod ar y dde cyn cyrraedd y pentref, ond nid yw wedi datblygu i ddim ond lled rhyw ddau gae neu dri o sybyrbia gwyn a gwyrdd. O ganol y pentref mae ffordd yn troi i'r chwith i gyfeiriad Rhyd-yclafdy a chanol y penrhyn, ond rhed y llall ymlaen yn unionsyth, a rhywbeth urddasol o gwmpas ei lled a'i choed. Ar un o'i llecynnau syth a gwastad mae croesffordd goediog wrth ffermydd Bodfel. Bodfel Bach sydd ar y chwith, ar ychydig o godiad tir, a Bodfel Hall ar y dde, yn dipyn o weddill rhodresgar i fod yn enw fferm. Bu'r Bodfel hwn yn lle diddorol a phwysig o dro i dro. Yr un hen stori eto, sef y Cymro o berchennog yn ymladd yn rhyfeloedd Lloegr ac yn cael tir a meddiant yn wobr. Ynys Enlli oedd y wobr i un o'r Wyniaid hyn o Fodfel. Yna, cydio maes wrth faes trwy deg neu drais, yn ôl fel bo'r galw a'r cyfle a medru creu stad oedd yn ddigon cryf i'w pherchennog herio gallu teulu enwog Gwydir yn llywodraeth Llundain.

Y mae cryn urddas o gwmpas adeilad Plas Bodfel o hyd, yn ei safle goediog, gysgodol ar y gwastadedd. John Wyn ap Huw, a fu farw yn 1576, oedd yr un a gafodd Enlli yn wobr. Mae'n sicr iddo ddychwelyd yn ffroenuchel iawn i dawelwch y cefn gwlad yma ar ôl cael y fath fraint â chario baner Sais mor enwog â'r Iarll Waric mewn brwydr. Ond aeth pethau yn ddrwg rhwng meibion y tadau cyfeillgar hyn, ac fe roed Huw Gwyn, mab John Wyn yng ngharchar ar orchymyn mab yr Iarll Waric adeg helynt fforest yr Wyddfa. Yr oedd cysylltiadau agos rhwng teulu Bodfel a theulu enwog y Plas Hen yn Eifionydd. Pan oedd Huw Gwyn yn ddiogel yn ei garchar yn Llundain, aeth Esgob Bangor i edrych i mewn i hanes ei gysylltiadau ef a mab y Plas Hen a'r Pabyddion. Yr oedd Huw Owen, Plas Hen, yn alltud ym Mrysels, ac yn adnabyddus fel gweithiwr dros yr achos Pabyddol. Ni fu fawr o lwc, fodd bynnag, ar ymchwil-iadau'r Esgob ym Modfel, a chyn bo hir yr oedd y carcharor wedi ennill ffafr ei elynion a chael ei wneud yn aelod seneddol dros Sir Gaernarfon. Parhaodd y tueddiadau Pabyddol hyn yn y teulu am amser, ac aeth Roger Gwynne yn Offeiriad a chenhadwr dros 'yr hen ffydd'. Yr oedd ef yn un o'r rhai oedd gyda Wiliam Davies ar eu ffordd i Iwerddon pan ddaliwyd hwy yng Nghaer-gybi. Crogwyd William Davies, yn ferthyr dros ei ffydd, ym Miwmares, ac ymhen blynyddoedd wedyn carcharwyd Roger Gwynne yn y tŵr yn Llundain. Gellir dilyn hynt a helynt llawer o'r teuluoedd hyn, ond arwain y mae i'r tryblith rhyfedd hwnnw o Hanes Prydeinig sydd, ysywaeth, yn gefndir i hanes gan y rhan fwyaf ohonom.

Pe digwyddai i'r crwydrwr droi i mewn i'r llofft lle mae'r gweision yn cysgu ar fferm Bodfel heddiw, byddai mewn awyrgylch gwahanol iawn i awyrgylch yr hen uchelwyr. A llawer iachach awyrgylch o bosibl. Mae Morris Roberts wedi gweithio ym Modfel ers pedair blynedd ar ddeg ar hugain ac wedi cysgu yn y llofft allan yno ar hyd y blynyddoedd. Dyn mewn tipyn o oed ydyw, glandeg a distaw iawn. Mae ei blant wedi tyfu erbyn hyn ac wedi gwneud eu cartrefi eu hunain, a magu plant bach eraill sy'n gweiddi 'Taid' ar hwsmon Bodfel. Ond er mor sicr fyddai ei ddyfodol ef a'i wraig yng ngofal y Wladwriaeth Les, ac mor lân a chysurus ydyw ei gartref yn Rhoshirwaun, dal i weithio y mae. Cael dwy wythnos ben tymor bob blwyddyn, a gorffen yn gynt ar ddydd Sadwrn er mwyn cael mynd adref am deirawr neu bedair. Dim ond cael te, y wraig ac yntau o boptu'r tân, sgwrsio tipyn, a throi yn ôl gyda'r bws saith i'w gynefin hyd y caeau ac yn y llofft. Wythnos ar ôl wythnos, am hanner cant ohonynt bob blwyddyn. Flwyddyn ar ôl blwyddyn, am bedair ar ddeg ar hugain ohonynt, yn ddarn o oes. Dyn y tir ydyw, a diolch amdano ac am y rhai a fu o'i flaen. Camgymeriad peryglus er hynny ydyw tybio ei fod yn cynrychioli dull o fywyd sydd wedi darfod. Gall fod y dull yn newid, ond mae'r hanfodion yn aros yr un fath yn union. Mae gwylanod y môr yn heidio uwchben tair cwys gwŷdd tractor mor swnllyd ag yr heidiasant erioed uwchben ungwys union-syth y gwŷdd main. Mae ymchwydd y gwanwyn a llawnder yr hydref, ymarllwys yr haf a diddymdra'r gaeaf yn gymaint o ffeithiau heddiw ag erioed. Aroglau saim ac aroglau silwair, blas petrol a blas pridd, sŵn anadlu injian odro a sŵn tuchan

buchod llawnion, gweld cymhlethdod y breichiau plygedig
mewn combein a gweld gwair glas y gwanwyn yn tonni yn y
gwynt, teimlo'r troed yn taro ar galedwch concrit a theimlo'r
llaw yn suddo i warrau gwlanog ŵyn tewion. Mae'r cwbl yn
ffeithiau, ac yn bod heddiw mor wirioneddol ag y buont erioed,
ac y mae digon o ddynion a bechgyn yn byw gyda'r pethau hyn
a phethau cyffelyb bob dydd o'u hoes. Nid rhywbeth wedi ei
greu gan ddosbarth arbennig o feirdd ar gyfer 'dinaswyr' ydyw.
'Fel hyn yr ydw i wedi arfar', meddai Morris Roberts wrth ei
wraig pan geisiai hi ei ddarbwyllo i newid ei ddull o weithio.
Ac yr oedd 'arfer' yn gyfystyr â byw. A'r bywyd yn brawf o'r
ffaith fod posibilrwydd cael cysylltiad cwbl arbennig rhwng dyn
a darn o ddaear. Cysylltiad na fu erioed ac na fydd byth rhwng
dynion byw a dinasoedd.

Heb fod ymhell o Fodfel, ymlaen ar hyd ffordd syth a llydan,
mae pentref ac eglwys Boduan. Bu ymrafaelio rhwng teulu
Plas Boduan a theulu Bodfel ar rai cyfnodau, a charu mawr ar
gyfnodau eraill. Cymdogion mewn gwirionedd. Ond ym
Moduan yn unig y mae stad erbyn hyn, a Bodfel yn ddim ond
fferm fawr yn medru ymhyfrydu yn ei chysylltiadau agos â'r
Plas ac â theulu'r Arglwydd Niwbwrch. Y Plas oedd canolbwynt
y pentref ym Moduan. Gogoniant y machlud ydyw erbyn hyn,
er bod yr Arglwydd Niwbwrch ei hun yn byw yma. Yn yr haf
bydd cerrig mawr wedi eu gosod ar draws y fynedfa i'r Plas o'r
ffordd fawr rhag i geir ddefnyddio dim o ddaear tir y Plas i
sefyll arni neu i droi yn ôl. Pan fyddai'r goits fawr yn rhedeg o
Bwllheli i Lŷn y ffordd yma, byddai'r teithwyr yn gorfod dod
i lawr i gerdded i fyny'r allt dros riw Boduan. Mae'r ffordd
yn dlws iawn yn yr haf pan fydd yr haul yn tywynnu yn glytiau
trwy ddail y coed, ac y mae yma ddigon o gysgod gwynt i'r
coed gael heddwch i dyfu yn sythion ac yn fawreddog nes bod
y ffordd drwyddynt fel twnel glas. Y Plas ydyw'r rheswm dros
fodolaeth y coed hefyd, yr un fath â'r Penrhyn a Glynllifon a'r
stadau mawr i gyd, a damwain ydyw bod dim o'u prydferthwch
i'w gael i deithwyr cyffredin y ffordd fawr.

Mae eglwys Boduan yn fwy addurnedig nag eglwysi Llŷn
yn gyffredin, a llawer o arwyddion cysylltiadau'r Wyniaid â'r

plwyf ynddi. Mae yma garreg i goffau y trydydd Arglwydd
Niwbwrch a fu farw yng Nglynllifon ac y cludwyd ei gorff yn
y nos ar yr ugeinfed o Dachwedd yn 1889 i'w gladdu yn Enlli.

Saif y llythyrdy ar y llethr lle daw'r ffordd allan o'r coed, ac
yma y daw ffordd Rhos-fawr allan o gyfeiriad Pentreuchaf.
Mae creigiau Garn Boduan yn agos iawn i'r ffordd yma, ac y mae
olion Brythonaidd diddorol ar ben y Garn, mwy diddorol efallai
na'r rhai sydd mewn llawer lle arall yn y Sir, am eu bod yn fwy
gwasgarog a bod mwy o le o'u cwmpas.

Rhed y ffordd o Foduan ymlaen dros fraich o dir gyda'r
Gors Geirch nes cyrraedd y groesffordd wrth Fryn Cynan. Un
o seiliau enwogrwydd diweddar y dafarn liwgar ym Mryn
Cynan ydyw y byddai Duc Caeredin yn ymweld â hi yn ystod
blynyddoedd y rhyfel pan oedd ym Mhenychain. Amgenach
clod i Fryn Cynan ydyw mai yma yr oedd cartref John Parry,
y Telynor Dall, a aned tua 1710 ac a ddaeth yn un o delynorion
mwyaf blaenllaw Cymru. Bu yn cynnal cyngherddau yn
Llundain a chasglodd nifer o alawon a'u cyhoeddi. Ceir ei hanes
yn *Y Tri Thelynor* gan J. Lloyd Williams. Canodd Sion Lleyn
englynion iddo,

> Coethaf sain puraf Sion Parri—cerddor
> Cywirddoeth uchelfri,
> Cywrain caid ei henaid hi,
> Croyw addasgamp cerdd wisgi.

Bu'r hen delynor farw yn 1782.

Mae dewis o dair ffordd o groesffordd Bryn Cynan. Yr un ar
y dde gyda Garn Boduan sydd yn arwain i Nefyn. Gan fod
prinder coed yn yr ardaloedd, mae llethr coediog y Garn yn beth
amheuthun iawn i'w weld ar yr ochr dde i'r ffordd. Heibio i
ffermydd fel Botacho Ddu a Hobwrn ar y gwastadedd, ac yna
i lawr i Nefyn. Fel Pwllheli, y mae Nefyn yn llawer iawn o
bethau gwahanol wedi eu gwau yn batrwm o bobl a digwydd-
iadau a chefndir sydd yn cynrychioli'r lle ar lan y môr. Mae'n
ddiddorol o ran ei hanes, a cheir hwnnw o safbwynt y fwrdeisdref
yn gyflawn iawn yn erthygl gynhwysfawr yr Athro Jones
Pierce yn un o gyfrolau Trafodion Cymdeithas Hanes Sir

Gaernarfon. Hyd yn oed cyn 1282 yr oedd Nefyn yn bwysig fel prif dref cwmwd Din-llaen yn Llŷn. Yn ystod haf 1284 bu Edward I, brenin Lloegr, yn aros yma ar ei daith, a chynhaliwyd twrnameint yma i ddathlu'r fuddugoliaeth a enillodd y brenin hwnnw ar fyddin y Tywysog Llywelyn, yn rhywle ar gaeau Botacho Ddu. Erbyn 1355 yr oedd Nefyn, i ganlyn Pwllheli, yn fwrdeisdref, a'i harian yn mynd i Nigel de Lohareyn yn dâl am hawliau i farchnata a masnachu yn rhydd. Gwnaed alanastr arni yn ystod rhyfeloedd Glyndŵr. Efallai bod manteision estron lleoedd fel hyn yn peri nad oedd gan y gwladgarwyr lawer i'w ddweud wrthynt, a'u bod yn cynrychioli peth a gaseid yn frwd- frydig. Pa un bynnag, ni fu llawer o lewyrch ar y dref am flynyddoedd ar ôl ei difetha gan Owain Glyndŵr, a phan ddaeth y patrwm newydd o fân dirfeddianwyr i fod yng nghyfnod y Tuduriaid, yr oedd yma ddigonedd o'r mân foneddigion yn barod i ruthro am dir ac eiddo i gydio maes wrth faes i ffurfio stetydd. Yr oedd lleoedd fel Madrun eisoes wedi llwyddo yn rhyfeddol, ond nid oedd Wyniaid Boduan wedi cael llawn cystal cyfle. Yr oedd teulu Bodfel wedi bachu y rhan helaethaf o dir maenor Boduan, ac felly edrychodd teulu Boduan ei hunan i gyfeiriad tiroedd yn Nefyn. Rhan o gefndir yr holl helynt oedd nad oedd gan ddeiliaid hawliau yn Nefyn onid oeddynt yn byw yn y dref.

Bu cyfarfod cythryblus yn y fynwent yn 1632 pan ddaeth cynrychiolwyr y brenin i Nefyn i ofyn i ddeiliaid tir yno gyd- nabod hawl y brenin ar eu tiroedd. Ond yr oedd Thomas Wynne o Foduan yno yn barod i gymryd arno siarad dros yr wrthblaid, ac i ddiogelu ei dir ei hun iddo ef ei hun a'i deulu. Yn gwbl yn ôl y patrwm, daeth ei gymydog o Gefnamwlch â'i fys i'r brywes. Yr oedd ganddo yntau dir yn Nefyn yr oedd am ei ddiogelu yn eiddo diamodol. Aeth yr holl gwestiwn i gyfraith, a gorffennodd ymhen blynyddoedd a Wyniaid Boduan yn hawlio rhannau helaeth o dir Nefyn, ac wedi codi i fod yn un o deuluoedd mwyaf dylanwadol y cylchoedd. Mae'n ddiddorol iawn sylwi mor debyg oedd y Prydcinwyr cynnar ffraegar hyn i lawer o'u hil ymhob oes. Cri fawr y naill ochr a'r llall oedd buddiannau'r cyhoedd, a hawliau'r bobl gyffredin, a chwarae teg i'r tlawd.

A gwir amcan y naill ochr a'r llall oedd eu dibenion a'u man-
teision personol eu hunain.

Bu Nefyn yn pleidleisio i anfon aelod dros y bwrdeisdrefi i'r
Senedd, ond rywfodd, ni ddatblygodd fel tref, mwy na Chricieth,
a chollodd hithau ei hawliau o dan ddeddf 1882. Er mor ddiddorol
ydyw'r agweddau hyn ar hanes, mae digon o gysylltiadau eraill
rhwng Nefyn heddiw a'r gorffennol. Y pennog ydyw un
ohonynt. Yr oedd penwaig yn rhan o'r hyn a delid i'r tywysog
ar un adeg, ac yr oedd llun tri phennog yn rhan o bais arfau'r
dref yn ddiweddarach. Yn wir, yr oedd y cysylltiad rhwng y
dref a'r pysgod mor agos nes bod 'Nefyn bennog' yn llw parchus
gan rai o bobl Llŷn. Ac y mae yma ddigon o bysgota o hyd, er
nad yw pysgota penwaig cyn bwysiced erbyn hyn ag y bu ar un
adeg. Mae digon o bobl yn dal i sôn am 'datw drwy'u crwyn a
phennog wedi'i ferwi', ond y mae llai o fynd ar seigiau blasus
o'r fath.

Troi ar y dde o'r ffordd fawr wrth fynd oddi wrth y groes-
ffordd ydyw'r cyfeiriad i lan y môr. Mae ffordd y gellir mynd
â char ar ei hyd yn arwain i lan y môr bob cam, er mai tipyn o
ryfyg fyddai mentro hynny ac mai doethach ar bob cyfrif fyddai
cerdded. Yn yr haf bydd y dieithriaid yn gawodydd swnllyd o
gwmpas ymhobman, ond ni thyn eu sŵn ddim oddi wrth gy-
faredd glas y môr a melyn dihafal y tywod, ac y mae digon o
Gymry iawn sy'n byw ar arian yr ymwelwyr i'w cyfarfod yn y
mân siopau a'r tai bwyta, ac ar hyd y ffyrdd a'r traeth. Eisteddai
un ohonynt ar bnawn braf ym mis Awst i orffwys am funud
ar fin y llwybr i lawr i lan y môr. Gŵr ysgafndroed, llwyd ei
wyneb ydoedd, yn llewys ei grys a het feddal am ei ben wedi ei
gwthio yn ôl ar ei gorun i'r chwŷs gael lle i fyrlymio allan ar ei
dalcen. Edrych ar ôl cychod yr oedd, ac o'i safle fanteisiol ar
lwybr y clogwyn fel hyn, gallai edrych dros wastadedd o fôr
heulog las, lle 'roedd ei gychod yn cerdded yn hamddenol. Buan
iawn yr oedd wedi mynd i grwydro gyda'i atgofion i bellteroedd
byd. "Lle crand iawn ydi Rio. Ag wedyn, dyna i chi . . . "
Ond yn rhyfedd iawn, dychwelai'r sgwrs bob tro i 'Nefyn 'ma',
a Nefyn oedd cefndir pawb a phopeth.

Nid oedd angen gofyn beth oedd galwedigaeth y gŵr oedd

yn dod i lawr y llwybr tuag atom. Capten llong wedi riterio oedd
pob modfedd ohono. Dyn gweddgar sylweddol, a llygaid byw
direidus ganddo. Llygaid wedi edrych am y rhan fwyaf o'u hoes,
allan oddi ar fwrdd llong ar gyfarfod môr ac awyr yma ac acw
hyd wyneb y byd.

"A mi awn i yn fy ôl 'fory nesa'," a thinc o her yng nghaled-
wch ei lais, "ond chawn i ddim rhoi fy nhroed ar y dec erbyn hyn".
Ac eisteddodd ar dywarchen fyrwellt glan y môr.

"Wedi fy ngeni yn fan acw," meddai, a phwyntio i gyfeiriad
y traeth, "yr ochor arall i'r trwyn acw, beth wnawn i ond mynd
yn llongwr? Cofiwch chi, eisio mynd yn bregethwr oedd arna i,
ond ma'n siŵr bod Dafydd Jones wedi gweiddi arna' i cyn 'y
mod i o 'nghlytia. Môr fuo hi beth bynnag." Ac nid oedd yn
edifar gan y Capten am ddiwrnod o'i "faith flynyddau ar y lli,"
er i amgylchiadau fod wedi bod yn wahanol iawn. Hwyliodd ar
longau Nefyn a Phortinllaen i ddechrau.

"Llonga hwylia," meddai, "cyn i'r hen stemars 'ma ddwad.
Amsar pan oedd dynion o haearn mewn llongau pren, ac nid
fel y mae hi heddiw a dynion pren mewn llongau haearn."
Hwyliodd ar longau Caernarfon a'r Felinheli, ac ar y llongau
mawr o borthladdoedd Lloegr. Ond dod yn ôl i Nefyn a wnaeth
yntau hefyd.

"A 'rydw i'n bwrw fy hiraeth yn dda iawn a chysidro,"
meddai. Ar ôl clywed am ei wahanol ddiddordebau: yr
oedd yn Llyfrgellydd swyddogol, yn weithiwr caled yng
Nghlwb yr Hen Bobl, yn eisteddfodwr blynyddol gyda'r
Bedyddwyr yn Nefyn, yn llenor, yn fardd ac yn 'ganwr dros
hanner cant', y rhyfeddod oedd bod pobl Nefyn wedi goddef
iddo fynd i'r môr cyhyd. Aeth y Capten yn ei flaen i lawr y
llwybr i'r traeth, a'i ysgwyddau llydan mor sgwarog a syth â'r
diwrnod y rhoes ei droed ar y dec yn gapten gynta 'rioed.

Gallt dywodlyd feddal ydyw gallt y môr yn Nefyn, a chwymp-
odd rhannau ohoni i'r traeth amryw o weithiau. Daeth darn
go fawr ohoni i lawr rai blynyddoedd yn ôl, ond nid achosodd
lawer o ddifrod. Bydd raid symud y llwybr sy'n mynd ar ei
hyd yn ôl yn achlysurol wrth i'r môr draflyncu darnau ohoni
fel hyn. Llwybr tywodlyd, esmwyth, braf i'w gerdded ydyw,

22. Eglwys Boduan.

23. Nefyn.

24. Portin-llaen.

a môr lliwgar yn ymnyddu o'i flaen ar ddiwrnod braf.

Mae amryw o dai mawr neilltuedig i'w gweld yn eu gerddi wrth ddod i fyny o'r traeth. Mae rhai ohonynt wedi eu troi yn westai poblogaidd, a'r lleill yn aros yn gartrefi rhy fawr a rhy gostus mewn byd drud a llafur yn brin. Mae rhai ohonynt yn dirwyn eu hanes yn ôl i'r cyfnod pan oedd ymwelwyr yn dod i dreulio mis neu fwy yn yr haf, a llawer o'u staff i'w canlyn, ac yn byw mor urddasol bwysig yn Nefyn yn ystod eu harhosiad ag y byddent yn byw gartref yn rhai o'r trefi am weddill y flwyddyn. Bu gan Clement Attlee gysylltiadau agos â Nefyn a threuliodd wyliau haf yma fwy nag unwaith. Merch i bobl oedd yn hoff o Nefyn fel lle i dreulio gwyliau haf oedd ei wraig. Mae'r tŷ yn westy erbyn hyn.

Mae ambell wahaniaeth mewn mân bethau sydd yn rhoi arbenigrwydd i Nefyn. Siop fferyllydd lle gellir stelcian yn hir i sgwrsio am lenyddiaeth a darluniau, yr hen ffynnon wrth y ffordd, y capeli a'r ddwy eglwys, y modurdai a'r banciau, tafarnau, a'r tai o bob math mewn gwahanol safleoedd, o'r tai urddasol ar wastadedd pen yr allt trwy unffurfrwydd canol y dref hyd at ambell fwthyn ar lethrau'r mynydd y tu ôl. Pentref go fawr ar ddiwrnod oer yn y gaeaf, yn symud wrth ei bwysau'n ara deg ac yn siarad Cymraeg glân gloyw. Ond yn yr haf, prysurdeb y bwyta a'r heulo a'r ymdrochi a'r tywota. Ambell belydr o'r hanfod gwirioneddol yn torri drwodd mewn sgwrs a swagr, ac yna yn cilio'n ôl i blicio tatws yn y gegin gefn, nes dyfod gaeaf arall a chyfle i drigolion y lle gael byw a dilyn eu diddordebau mewn capel neu glwb, neu gyfarfod gofaint yn llenydda a thrafod hanes.

Dwy ffordd fel dau ddrws cefn ydyw'r ddwy ffordd sy'n arwain o Nefyn, y naill i'r Mynydd a'r llall i Bistyll. Maent yn troi a throsi yn swil ac yn anfoddog cyn eu dolennu eu hunain i fyny'r llethrau. Ond ffordd wahanol iawn ydyw'r ffordd arall fel drws ffrynt i gyfeiriad Aberdaron. Cychwyn yn fawreddog ac yn llydan o Nefyn a rhedeg yn syth ar hyd y gwastadedd agored nes cyrraedd y Morfa. Daw'r ffordd o Fryn Cynan i'w chyfarfod yma, a rhed ymlaen yn briffordd am Edern. Gwell fydd dal i'r dde ym Morfa Nefyn trwy gymysgedd o dai diweddar ar ffordd union ac allan ar benrhyn Portin-llaen. Mae'r Tŷ Golff

G

ar y chwith a darn o dir agored dros y ffordd iddo y gellir
stelcian arno pan fydd trafnidiaeth brysur y cwrs golff yn caniatau.
Ar ddibyn yr allt ar y penrhyn yma y mae un o olygfeydd
cofiadwy Llŷn. Cefndir mynyddoedd Eryri wedi gwyro yn eu
mawredd yng nglesni'r pellteroedd. Rhimyn o Sir Fôn a'r Eifl i
gyfeiriad y gogledd, a chodiad tir canolbarth y penrhyn i gyfeiriad
y dwyrain. Gyda'r holl ehangder hwn o ddiddordeb yn y cefndir,
islaw, mae cilfach gysgodol Portin-llaen ei hunan, y porthladd a
fu o fewn un bleidlais i gael ei fabwysiadu fel porthladd yn lle
Caergybi i gysylltu Cymru ac Iwerddon. Pe byddai ffawd wedi
troi'r un bleidlais o blaid yn lle yn erbyn, byddai golwg wahanol
iawn yma mae'n debyg. Ar y gwaelod, yn glos wrth fin y dŵr,
mae gweddill o adeiladau'r porthladd a fu'n brysur yma unwaith,
gyda'i brysurdeb bach cartrefol o lo a chalch a photiau menyn a
llwch esgyrn a llestri. Bu'n lle prysur iawn ar y raddfa hon am
gyfnod, ac ymhlith yr adeiladau yr edrychir i lawr arnynt o ben
yr allt, mae'r dafarn a fu'n disychedu'r rhai oedd yn gweithio
yma. Mae'n debyg mai yma y gwerthid y cyfuniad effeithiol
hwnnw y canodd rhyw fardd ei glod,

> Ym Mhortinllaen mae cwrw llwyd,
> A hwnnw'n ddiod ac yn fwyd.

Mae cwt y bywydfad yn daclus ac yn lanwaith iawn yma.
Rhyfedd mor aml y gelwir y bywydfad allan ar ryw berwyl, er
cymaint y gwelliannau mewn diogelwch. Annisgwyl ryfyg y
môr weithiau, ac annisgwyl ryfyg ymwelwyr di-brofiad dro
arall. Tanio roced ydyw'r arwydd i'r criw ymgynnull, a phan
glywir y sŵn ar y glannau, bydd ias o bryder dros yr ardaloedd
nes cael gwybodaeth am hynt yr alwad. Pe gwyddai dewrder
anwybodaeth aml i fentrwr rhyfygus mewn cwch faint y pryder
sydd tu ôl i'r dewrder sy'n gorfod eu hachub, byddent yn llawer
mwy diolchgar am gael cadw eu traed dibrofiad ar dir sych.
Ond pethau yn perthyn i fyd arall yw'r rhain ar benrhyn Portin-
llaen ar ddiwrnod o haf. Lle i aros uwch ei ben. Lle i edrych arno
yn fanwl, o wyrdd a glas ei fôr i felyn ei dywod a symudliw'r
gelltydd dan haul prynhawn. Mae'n hawdd iawn dychmygu a
fu yma, o 'sŵn hwyliau'n codi' hyd i sŵn ochenaid bach o hiraeth

wrth i'r llong gychwyn i ffwrdd, a rhywun yn sefyll, o bosibl ar
yr union lecyn yma, yn edrych ar yr hwyliau gwynion yn mynd
yn llai ac yn llai wrth nesáu at y gorwel, ac yn breuddwydio pa
bryd tybed y deuent yn ôl. A'r bachgen oedd yn cerdded y dec,
yntau yn gweld y tir yn troi yn rhimyn llwyd,

> Bydd glaswellt ar fy llwybrau i
> Cyn delwyf i Gymru ôl.

Wedyn, dyna'r holl bobl a arhosodd gartref i weithio, y seiri
coed a'r holl grefftwyr oedd eisiau i adeiladu'r llongau, pobl heb
eu denu gan hud y pellteroedd a rhamant y môr, ac eto yn rhy
agos ato i fedru ei osgoi, ac yn gorfod dibynnu arno am eu bara
beunyddiol. Mae deunydd llawer o hanesion diddorol yn llyfr
Mr. David Thomas, *Hen Longau Sir Gaernarfon*, ac yn wir y mae
cymaint o ddiddordeb yn eu cefndir gan aml un sy'n byw yma
fel y gellid yn hawdd daro ar rywun fel Mr. Harry Parry ar
Benrhyn Portin-llaen, a chael hanes llawer o'r hen longau a'r
cwmniau a'r fasnach. Bu gwerth masnach yr harbwr yn anhygoel
o uchel ar un cyfnod, a chyfanswm gwerth y llongau a adeiledid
yma yn filoedd o bunnau. Hanesion am longddrylliadau a cholli
bywydau ydyw hanes y gorffennol. Rhai ohonynt yn drist iawn,
fel hanes y *Cyprian* a gollwyd ym mhorth Cwmistir yn ymyl
yma. Wyth yn unig o'r criw o ddau ar hugain a achubwyd.
Rhoddodd y Capten ei fywydfelt i fachgen bach oedd wedi
ymguddio ar y llong, a thybiodd y gallai nofio i'r lan ei hunan.
Ond achubwyd y bachgen bach a chollodd y capten ei fywyd
rhwng y llong a'r lan. Mae cân gwlad yn croniclo'r digwyddiad,

> Diwrnod rhyfedd byth-gofiadwy
> Yw'r pedwerydd dydd ar ddeg
> O fis Hydref yn y flwyddyn
> Mil wyth gant un wyth deg.

Gellid dilyn rhestrau o ddamweiniau a cholledion fel hyn am
flynyddoedd, Ac yn gymysg â hwynt, ceid ambell lygedyn
disglair o gellwair, fel yr hanes am y llong a adeiladwyd yn yr
ardal yn weddol bell o'r môr gyda'r bwriad o'i llusgo i lawr i'w
lansio, ond pan ddaeth yr amser, a'r llong yn barod, yr oedd y
tywydd wedi bod mor wlyb fel na ellid symud y llong yn niwedd

haf a bu rhaid ei gadael nes i'r mwd rewi yn galed yn y gaeaf cyn ei chael i'r môr. Yn Aber Geirch y lansiwyd y llong honno, ac o sôn am Aber Geirch, gwell gadael y penrhyn uwchben harbwr Portin-llaen.

Pentref Edern biau'r Aber Geirch sy'n sefyll mewn cilfach ar lan yr afon. Rhed y ffordd i Edern o Forfa Nefyn dros fryncyn o dir, a throelli i lawr yn serth a thro mawr ar ei chanol. Ar waelod yr allt, a bron iawn ar lan yr afon, mae tŷ cerrig mawr â'i dalcen i'r ffordd. Dyma Felin Edern, neu Y Felin, lle byddai J. Glyn Davies yn dod am fis o wyliau yn yr haf a lle y dysgodd garu'r ardaloedd hyn a'u trigolion. Pa sawl Cymro tybed a wŷr ddim o hanes, 'Anno Quadragesimo Tertio, George III Regis Cap 38'? 'Deddf i hwyluso, lledu, gwella a chadw mewn trefn y ffordd sy'n arwain o Borthladd Portin-llaen, yn Swydd Gaernarfon, i neu yn agos i le o'r enw Ceunant yn Swydd Meirionydd, ac o Dan-y-graig ym mhlwyf Boduan, i dref Pwllheli, ac oddi yno i bentref Llanystumdwy . . . 'A dirwyn y manylder seneddaidd ymlaen yn ddi-ddiwedd. Neu pa sawl Cymro a wŷr am ddeddf seneddol arall a gafodd gadarnhad brenhinol ym Mai, 1806, 'i godi pier ac adeiladau eraill tuag at wella'r Harbwr ym Mhortin-llaen, ym mae Caernarfon . . '? Go ychydig a wŷr amdanynt mae'n debyg. A faint o bobl wŷr am gofnodion fel,

'1858. Hydref 18. Drylliwyd ar Ynys St. Tudwal y Fflat 'Ann' a adnabyddid yn well fel *Fflat Huw Puw*.'?

Astudwyr hanes yn unig mae'n debyg. Ond pa sawl plentyn o Gymro a dyfodd i fyny yn ystod y ganrif hon ac a fu yn yr Ysgol Bach, ac wedyn yn yr Ysgol Elfennol sydd heb fod yn gwybod geiriau *Fflat Huw Puw*?

Mae sŵn ym Mhortin-llaen, sŵn hwyliau'n codi,
Blocie i gyd yn gwichian, Dafydd Jones yn gweiddi,
Ni fedra i aros gartre yn fy myw,
Rhaid imi fynd yn llongwr iawn ar Fflat Huw Puw.

Cyflawnodd yr Athro Glyn Davies lawer o waith da a phwysig, ond ei uchel gamp oedd *Cerddi Huw Puw*. Gafaelodd cynnwys y llyfr bach gwyrdd hwnnw yn nychymyg plant Cymru ar hyd y blynyddoedd, ac y maent mor boblogaidd heddiw ag y buont

25. Pentref Edern.

26. Llanbedrog.

27. Golwg o'r Foel Gron.

erioed. Maent yn rhan o filoedd o bobl. Llwyfannwyd cân actol
gannoedd o weithiau gan blant bach chwyslyd wynepgoch
mewn selor swt, yn symud fel coed mewn storm o ochr i ochr i
rithmau'r cychod a rowlio'r llong, ac un ar y pen a chap pig
gloyw ganddo a 'sanc sidan' a 'sgidie bach i ddawnsio', wedi dod
yn ei flaen o fod yn llongwr iawn i fod yn 'gapten llong ar
Fflat Huw Puw'. Beth sydd i gyfrif am y poblogrwydd tybed?
Idiom y môr? Yr ystwythder, yr addasrwydd, y briodas hapus
rhwng geiriau ac alaw? Maent i gyd yn help efallai. Ond y
gyfrinach yn sicr ydyw yr hanfod o wirionedd sydd yn y geiriau.
Ateb yr hen ysfa am grwydro a gweld y byd a chael dod yn ôl i
swagro hyd bentrefi Llŷn. Ac yng *Ngherddi Huw Puw*, a *Chaneuon
Portin-llaen*, a *Cerddi Edern*, y mae cyfrinach y teimladau yn dod
yn bethau gwybyddus. Hiraeth y llongwr bach a welodd,

> Hen leuad wen uwchben y byd,
> a ddoist ti o hyd i Gymro
> a aeth yn bell o'i wlad ei hun,
> O Leyn i San Fransisco.

Balchder gŵr bonheddig o longwr, ac atgofusrwydd am y

> Clawdd yn Lleyn uwchben y môr,
> a'r porphor bychan arno,
> hwn mor ber, pob chwa a dyn
> y gwenyn tuag yno.

Mae'r pethau hyn wedi cael eu gwau, ac yn cael eu gwau, i fod
yn rhan o batrwm pob un a fu'n actio ynddynt ar lwyfan, neu
yn morio eu canu yn gras ac yn galed yn ystod y wers ganu ar
bnawn dydd Gwener. A phan dywalltant allan o'r ysgol hanner
awr wedi tri, mae'r llongau a'r môr, swn y codi angor a stwyrian
pell 'r hen olwyn ddwr, Edern a Phortin-llaen, wedi eu stampio
ar ryw gornel o'u profiad i fod yn rhan ohonynt am byth. Ac
am fod hyn yn wir, maent hwythau hefyd yn rhan o Bortin-
llaen yn eu cannoedd a'u miloedd.

Mae tafarn y 'Ship', ar y llaw dde i'r ffordd wrth fynd ymlaen
trwy bentref Edern, yn aros yn debyg iawn heddiw i'r hyn
ydoedd flynyddoedd yn ôl. Ond postmona ydyw arbenigrwydd
teulu'r Ship wedi bod. Mae cario'r post wedi bod yn fath o

falchder teuluol ers ugeiniau o flynyddoedd. Y drefn ar y dechrau oedd mynd i Bwllheli gyda'r car a'r ceffyl i gyfarfod y mêl, derbyn y llythyrau a llofnodi amdanynt, ac yna teithio'n ôl i Edern, ac ymlaen i gyfeiriad y Sarn a Llangwnnadl. Yn wir, y car post oedd un o'r cyfleusterau mwyaf poblogaidd o gyfeiriad Tudweiliog a Phen-y-graig i Bwllheli. Lori fodur fechan agored ydoedd y car post yn 1926, ac un o deulu ffraeth y Ship yn ei gyrru. Seddau ar hyd ei dwy ochr yn wynebu ei gilydd. Byddai llawer o hamperi cwningod a pharseli arni fel rhan o'r llwyth, ac wrth gwrs byddai'n ofynnol aros i chwilio a symud cynnwys pob bocs llythyrau ar hyd y ffordd. Arhosai ysbaid hir yn Edern, a lleisiau'r teithwyr i'w clywed yn uchel yn y distawrwydd ar ôl tawelu'r peiriant. Ail gychwyn a thrwy Forfa Nefyn a Boduan i Bwllheli. Parhaodd y drefn hon o gario'r post i Edern am flynyddoedd ar ôl i faniau cochion y llythyrdy ddod i'r rhan fwyaf o ardaloedd eraill Llŷn.

Er bod poblogrwydd caneuon Glyn Davies wedi gwneud yr ardaloedd hyn yn enwog, y mae ganddynt gysylltiadau llenyddol eraill ymysg eu pobl eu hunain, a daw rhai o'r cysylltiadau hyn eto o deulu'r Ship. Un o'r meibion oedd John Jones, Edeyrnfab, a aned yn 1848. Yr oedd yn fardd ac yn gerddor. Bu'n athro cerddoriaeth i'r datganwr Edern Jones pan oedd yn dechrau ei yrfa. Yr oedd ei ddiddordebau yn eang iawn, a lluniai englyn taclus weithiau, fel hwnnw i'r gwniadur:

> Digon ydyw gwniadur—i ben bys
>   Heb un boen wrth fesur,
>   A deil i arbed dolur
>   Adwy ddofn y nodwydd ddur.

Brawd i Edeyrnfab oedd y Parch. S. T. Jones. Mae'r enw Samuel yn dal i redeg yn y teulu o hyd. Ysgrifennodd S. T. Jones lawer o fydryddiaeth yn ôl dull y ganrif ddiwethaf, yn farwnadau geiriog a phryddestau hirion. Yr oedd ei bryddest ar y testun 'Tu Hwnt i'r Llen' dros ddwy fil o linellau, ac yn ail orau yn Eisteddfod Llandudno yn 1896. Yr oedd yn bregethwr poblogaidd iawn yn ei ddydd.

Ar funud o haelioni anghyfrifol, adeiladodd yr Awdurdod

Addysg ysgol yn Edern fel a ddylai fod mewn llawer pentref
gwledig arall. Defnyddir hi yn helaeth fel canolfan cymdeithasol,
ac y mae ynddi lwyfan ardderchog sydd wedi bod yn foddion i
fagu llawer o ddiddordeb newydd mewn drama yn y gymdo-
gaeth. Ar un o'r ffyrdd croesion y saif yr ysgol, yn adeilad taclus
a gweddus ei gynllun. Stribedi o dai a modurdy a siopau sydd
gydag ochr y ffordd fawr, a phrin y gwelir fawr o brydferthwch
yr ardaloedd hyn heb fynd i'r ffyrdd croesion a'r llwybrau. Mae'r
ffordd fawr trwy bentref Edern yn llawn iawn yn yr haf, ond
mae'r ffyrdd croesion o boptu yn wacach o lawer ac yn llawer mwy
diddorol. Hwy oedd y ffyrdd prysur ers talwm am mai hwy
oedd yn arwain i'r traethau ac i'r porthladdoedd, ac yr oedd y
porthladdoedd yn cysylltu Llŷn â'r byd mawr y tu hwnt i'r môr.
Nid oedd prysurdeb yr adeg honno lawer llai prysur ynddo'i
hun, ond yr oedd yn llawer arafach ac yn fwy pwyllog. Mae rhyw
atgof am yr arafwch yn aros ar y ffyrdd croesion â'u hwynebau
sâl a'u cloddiau uchel a'u troadau annisgwyl.

Mae ffermydd gwastadedd glan y môr fel hyn yn ffermydd
breision. Ceir marchnad i gropiau llysiau yma ym misoedd yr
haf, ond nid oes fawr o ymdrech wedi bod i ddatblygu amaethu
o'r fath. Siarad am bethau newydd gwyddonol, a ffarmio'n hen
ffasiwn wrth synnwyr y fawd ydyw hanes llawer o berchenogion
a thenantiaid. A digwydd aml dro hefyd ddyfod bygwth o ryw
gyfeiriad neu'i gilydd ar y tir ei hunan. Bydd rhyw adran neu'i
gilydd o wŷr blaengar yn Llundain am fynnu darn o dir i blannu
coed neu filwyr arno, ac am ddifodi nifer o ffermydd i'r pwrpas.
Neu bydd rhywun arall am fod yn dosturiol ac yn garedig wrth
hen gramen sâl o ddaear ac wrth y gymdeithas eiddil sydd yn
ceisio crafu bywoliaeth ohoni, a chymryd rhyw ddeugain acer
o'i daear i godi pwerdy atomaidd rhy beryglus i'w roi yn agos i
ddinasoedd Lloegr. A daw y proffwydi gwaith i'r maes yn uchel
eu cloch, a chonsurwyr amser-gwell-i-ddyfod i bennau'r drysau
yn gegau i gyd. Ac o'r ochr arall, daw'r pwyllog a'r pryderus i
gynnig cyngor ac i gael chwerthin am ei ben. A bydd popeth yn
mynd ymlaen wrth ewyllys dyrnaid o gynllunwyr ac arbenigwyr
na welant byth olau dydd. Nid yw cefndir o'r fath yn debygol o
fagu archwaeth am y sicrwydd sydd yn hanfodol i ddatblygiad

iach cymdeithas fyw.

Ond nac wyler am yfory. Mae cymdeithas Nefyn ac Edern a Phortin-llaen yn fyw hyd yn hyn. Mae'n wahanol iawn i'r hyn ydoedd ym mlynyddoedd ei gogoniant cynnar. Mae'n wahanol iawn i'r hyn ydoedd pan oedd y Capten William Parry, Sarpedon, yn llongwr ac yn fardd, yn canu englynion a chywyddau hyd y môr. Medrai Capten Parry fod yn fachog iawn weithiau. Siomwyd ef unwaith yn Lerpwl gan ryw Mr. G. Jones, 'drwy addaw llwytho fy llong dranoeth a pheidio a chyflawni', a chanodd y Capten ddau englyn iddo,

> Y lluman glas, lle mae glo?—hen swyddog
> I Suddas yw Guto,
> O dan farn mae, dyna fo,
> Wedi ollwng i dwyllo.

> Gwared fi dduw y duwiau—o'i swyddfa,
> Gorseddfainc ystrywiau;
> Mae e 'ng nghôl uffernol ffau
> Yn gloddest ar gelwyddau.

Mae'r gymdeithas yn wahanol hefyd i'r hyn ydoedd pan oedd Huw Robaits yn gweithio yn hogyn ifanc ar un o ffermydd y gymdogaeth fel certmon. Adeg llafurio yn y Gwanwyn oedd hi, a'r cae wedi ei orffen yn rhesi taclus syth fel bwled. Y cyfan ond rhyw hetar o gongl fain yn ei ben pellaf, oedd yn rhy gul i wedd geffylau droi'n ôl yno. Ond ni fedrai'r ffermwr faddau i'r gongl, a phenderfynodd wneud ymdrech i'w thrin. Yr unig obaith oedd bachu'r gwas yn lle'r ddau geffyl. Yr oedd Huw Robaits yn gryf ac yn gyhyrog yn nerth ei ddyddiau a chytunodd i gael ei fachu yn y dragar. Ond unwaith y teimlodd bwys y tresi yn ei erbyn, aeth i feddwl wrtho'i hun, 'Wel, os ceffyl ydw i, rhaid i mi byhafio fel ceffyl, ac mi fyddai yn siŵr o ddychryn wrth gael ei wasgu mewn cornel fel hyn.' Ac yn hollol ddi-rybudd dychryn wnaeth Huw Robaits hefyd a dechrau rhedeg ar hytraws a lletraws y cae a'r dragar ar ei ôl yn chwalu'r taclusrwydd yn sgyrion i bob cyfeiriad. Ac nid oedd gan y meistr le i gwyno yn y Gwanwyn pan oedd creithiau'r dragar yn dod i'r golwg ar lesni'r cae tatws. Os ceffyl, ceffyl.

Ond er mor wahanol ydyw, y mae yma bethau yn aros yr un fath hefyd. Mae Elizabeth Watkin Jones yn ysgrifennu ei nofelau i blant yma. Mae yma gwmni drama yn llawn egni. Mae yma breimin ddydd Llun Pasg. . . Ac allan ymhell yng ngwyrdd tywyll dŵr dyfn y môr, mae heidiau o filoedd ar filoedd o ben- waig arian yn synfyfyrio weithiau wrth gofio am y miliynau o'u hynafiaid hwy a aeth yn aberth i wanc y creaduriaid dwygoes sydd yn byw rhwng y cerrig ar y tir sych.

PENNOD VII

Traethau'r De

Mae Sais wedi hanner dysgu Cymraeg yn rhyfeddod o ddi-wylliant, i'w edmygu, ei feithrin a'i barchu. Mae Cymro wedi hanner dysgu Saesneg yn ddwl ac yn anllythrennog hyd at fod yn wrthrych tosturi. Rhaid gwneud sioe bin o'r dosbarth cyntaf ar bob achlysur posibl, a rhaid cuddio'r ail ddosbarth o gywilydd dros ddyfnder ei anwybodaeth. Y Cymry truain!

Mae mwy o Seisnigrwydd a Seisnigeiddrwydd yn y gornel fach hon o Lŷn nag mewn unrhyw ardal arall yma. Un rheswm ydyw fod mwy o Saeson yn byw drwy'r flwyddyn yn yr ardaloedd o Lanbedrog i Langian. Y tywod ydyw'r rheswm am hynny mae'n debyg. Mae'r tywod wedi tynnu'r Saeson fel ruban gyda min y dŵr o Gricieth i Borth Neigwl, ac y mae'r crynhoad yn y gornel hon am fod tywod y traethau yn fân ac yn felyn ac yn esmwyth. Ond ar ôl cywilyddio dros remp yr ardaloedd, y mae digonedd o gamp ar ôl i ymhyfrydu ynddi.

Gellir cerdded gyda glan y môr o Garreg Defaid i Draeth Llanbedrog. Ychydig yn nes i'r tir mawr yr oedd rheiliau'r tram ceffylau a oedd yn rhedeg o Bwllheli, ac ychydig yn uwch wedyn, mae'r ffordd fawr o Bwllheli i Aber-soch. Ar y gwastadedd cyn cyrraedd y pentref, rhed y ffordd yn union ac yn syth. Mae codiad tir sydyn, hen allt y môr efallai, ar y dde yn llethrau coediog lle bydd fflamau'r rhododendron yn ddisglair yn nechrau haf, a lle bydd coeden bîn yn llawn o oleuadau trydan pob lliwiau tua'r Nadolig. Mae ffordd fach gul yn troi i'r dde i gyfeiriad y clogwyn a'r tai mawr sydd ar y tir uchel. Tremvan yw un ohonynt, y tŷ a gynlluniodd Gwenogfryn Evans iddo'i hun. Yn ymyl yma hefyd y mae'r bedd yn y graig lle claddwyd y gweithiwr diflino hwnnw o weinidog a wnaeth gymwynas mor fawr â llenyddiaeth Gymraeg. Yma, ar ôl ymddeol ar bensiwn llywodraeth, yr argraffodd nifer o'r testunau llen-yddiaeth yr ymddiddorodd gymaint ynddynt, megis Llyfr Du

Caerfyrddin, Llyfr Gwyn Rhydderch a Llyfr Aneirin. Troella'r ffordd fach brydferth hon, nad yw fawr mwy na llwybr troed, dros ysgwydd y graig a dod allan ar wastadedd pentref Llanbedrog yn ôl i'r ffordd fawr.

Rhennir y pentref a'r ardal gan y ffordd ar y gwastadedd, ond y rhan sydd yr ochr uchaf iddi ydyw'r syniad cyffredin am Lanbedrog. Yma y mae y rhan fwyaf o'r pentref, y llythyrdy, y siopau, yr ysgol a'r capeli, ac yma y mae'r Neuadd newydd, yn adeilad glanwaith a hwylus a digonedd o gyfleusterau i glwb a chwmni drama, chwaraewyr biliard a Sefydliad y Merched, a phawb arall a fyn gyfarfod yn y pnawn neu gyda'r nos i'w gwahanol ddibenion.

Mae cystal amrywiaeth o gŵn yn Llanbedrog ag mewn unrhyw bentref o'i faint yn y wlad, ac fel y gweddai i gŵn yn treulio eu hoes mewn pentref tawel wrth lan y môr a llawer o'i drigolion wedi ymddeol, maent yn hamddenol ac yn araf. Symudant yn bwyllog ar draws y ffordd ynghanol prysurdeb Gorffennaf ac Awst. Daeargwn am sefyll fel petai arnynt eisiau gwybod rhif y car a fydd yn dod amdanynt. Cŵn adar, hirglust, hirflew yn cymryd arnynt nad oes gar yn dod o gwbl. Cŵn defaid yn aros i ystyried tybed a drôi y car yn ôl pe cyfarthent arno. Corgwn boldew yn edrych fel pe byddai eu coesau wedi mynd yn rhy fyrion i godi eu gwaelodion oddi wrth y ddaear. A'r Cŵn Ffrengig ffroenuchel, snobyddlyd ei heilliant, wedi sythu a meinio gan ryfeddod o weld y fath gwnoliaeth gyntefig gymysglyd yn y byd. Gwahanol bobl yn byw mewn gwahanol dai yn Llanbedrog biau'r cŵn i gyd.

Uwchben y ffordd, a rhwng y tai a'i gilydd, mae'r patrwm mwyaf erchyll o wifrau trydan a pholion i ddal y gwifrau a pholion eraill i ddal y polion, a gwifrau i ddal y polion sy'n dal y polion, nes bod edrych i fyny o ambell lecyn yn union fel edrych i fyny trwy ogor lludw rhyw gewri cynnar. Y rhesymau dros y cyflawnder gwifrau ydyw bod yr awdurdodau yn hirymarhous iawn i guddio eu campweithiau o dan y ddaear, fod hynny yn beth drud i'w wneud, a bod craig galed yn agos i'r wyneb yn Llanbedrog. Tyr y graig hon trwy groen tenau o ddaear yn aml iawn, ond rhaid mai anwastad yw ei hwyneb gan fod yma lawer o ddyfnder daear mewn rhai mannau, a thyfir tatws newydd gyda'r cynharaf yn rhai o'r ffermydd yn agos i'r pentref.

Wedi cyrraedd pen uchaf y pentref a thafarn y Ship, gellir troi'n ôl am ychydig a dilyn y ffordd mor bell â'r groesffordd wrth Lyn y Weddw. Diddorol ydyw gweld y newid ym mhatrwm a gwedd y tai wrth nesu at y môr. Gyferbyn â'r Ship mae rhes o dai mor unffurf ac mor ddi-ddychymyg ag unrhyw resdai yn Nhal-y-sarn neu mewn cwm yn y De. Ond wrth symud i lawr y pentref maent yn gwella. Tyfant i ddau uchder llofft a safant yn eu gerddi eu hunain wedi eu neilltuo o'r ffordd. Tai cap-teiniaid llongau wedi ymddeol. Wedyn yn is i lawr, tai a thipyn o fympwy arddangosiadol yn perthyn iddynt, ac ambell fynglo diweddar yma ac acw yn fodern ac yn lliwgar. Yna deuir at y groesffordd lle mae ffordd Aberdaron yn cyfarfod â'r ffordd fawr o Aber-soch i Bwllheli. Mae'n wahanol eto o'r fan yma i lawr. Ar y chwith, ar wastadedd glan y môr mae'r tai newyddion diweddar. Byngloi eto, ac un neu ddau o dai cerrig solet iawn yr olwg arnynt. Mae ffordd glyd, goediog yn mynd i lawr i'r traeth heibio i'r lle mae'r tai hyn. Ar y chwith iddi mae plasty Glyn y Weddw. Tŷ wedi ei adeiladu yn y ganrif ddiwethaf ydyw, ar lechwedd coediog cysgodol ac mewn gerddi braf. Y weddw a'i hadeiladodd oedd gweddw Syr Love Parry Jones Parry o Fadrun. Bu'n perthyn yn ddiweddarach i Solomon Andrews, a bu yn gartref arddangosfa ddarluniau, am gyfnod. Saif y tŷ ar lecyn tlws wrth droed y penrhyn tir, Mynydd Tir Cwmwd, sydd yn ymestyn i'r môr a gwneud cilfach o draeth Llanbedrog.

Wrth droed y mynydd hefyd y mae eglwys y plwyf a'i chysylltiadau diddorol. Yr oedd gan J. H. J. Manley, rheithor y plwyf yn nechrau'r ganrif, a mab y Tŷ Isaf yn ardal Rhydy-clafdy, ddiddordeb mawr yn hanes ac yn hynafiaethau'r ardal. Ei hoff faes, yn ddigon naturiol, oedd yr eglwys ei hun, ac y mae ganddo ambell gyfeiriad diddorol. Pan ddinistriwyd yr eglwys gan filwyr y Weriniaeth, maluriwyd y ffenestr liwiau fawr, ond yr oedd rhywun â gormod o barch iddi i adael iddi fynd i golli, a chadwyd y darnau oedd ar gael yn y malurion yng nghist dderw'r eglwys. Pan godwyd yr adeilad presennol gan y weddw o Fadrun yn 1865, ail osodwyd y darnau gwydr lliw yn y

28. Harbwr Abersoch.

29. Pentref Llangian.

30. Eglwys Llangian.

ffenestr yng ngorllewin yr eglwys, a dyna'r rheswm mai darnau yn unig o ddarluniau ydynt. Teulu Madrun ei hunan ydyw teulu pwysicaf eglwys Llanbedrog, mae'n debyg, ond ceir cyfeiriadau at deuluoedd eraill yr ardal ar dabledi a cherrig, teuluoedd fel Cefn Llanfair, a Thŷ Isa. Yma y claddwyd yr hen bregethwr Methodist Griffith Solomon yn 1839, a'r englyn ar garreg ei fedd,

> Gŵr a hoffid oedd Gruffydd—ei ddawn ffraeth
> Oedd yn ffrwd ddihysbydd;
> Esboniwr, olrheiniwr rhydd,
> Mawr ei swm o rcsymydd.

Un o reithoriaid diddorol yr un cyfnod â Griffith Solomon oedd Peter Williams a gladdwyd yma yn 1837. Ef oedd golygydd argraffiad 1824 o'r *Ffydd Ddiffuant*. Ni ellid gadael yr eglwys chwaith heb gofio am D. Silvan Evans, yr ysgolhaig a fu'n gurad yn Llangian yn y rheithoriaeth. Rhyfedd i gynifer o gysylltiadau ysgolheigaidd gydgyfarfod mewn cilfach o'r neilltu fel hyn. Ac eto, hwyrach mai'r union neilltuedd yma sydd i gyfrif amdanynt. Distawrwydd gwlad a llethrau'r bryniau, yn ddigon hwylus ac o fewn cyrraedd trafnidiaeth a chyfleusterau ffyrdd. Creigiau a grug Mynydd Tir Cwmwd, a blodau a choed gerddi Penarwel. Ac o gofio am rug a rhosyn, rhaid cofio hefyd am un arall a fabwysiadodd enw nawdd sant eglwys ei blwyf yn enw iddo'i hun, sef Pedrog, Archdderwydd 1928 i 1932. Yn y Gatws, Madryn, y ganed ef, a'i fedyddio yn Llanfihangel Bachellaeth yn 1853 yn John Owen Williams. Garddwr ydoedd wrth ei alwedigaeth a bu'n gweithio yng Ngelliwig am gyfnod cyn symud i Gaer ac wedyn i Fachynlleth. Ond fel gweinidog gyda'r Annibynwyr y cofir amdano yn fwyaf arbennig. Cyhoeddodd ei hunangofiant yn *Stori Mywyd* a gyhoeddwyd flwyddyn ei farw yn 1932. Mae dwy elfen fawr o brydferthwch bro ei febyd yn yr englyn,

> I'r teg ros rhoir tŷ grisial—i fagu
> Pendefigaeth feddal:
> I'r grug dewr y graig a dâl—
> Noeth weriniaeth yr anial.

Bardd gwahanol iawn oedd Thomas Williams, mab tafarn y

Sign, a aned yn 1774. Bedyddiwyd ef yn Domos yn eglwys y
plwyf, ond pan oedd yn un ar hugain oed, bedyddiwyd ef yn
Twm Pedrog gan Dafydd Ddu Eryri mewn Eisteddfod ym
Mhenmorfa. Aeth Thomas Williams yn llongwr, ac ar fwrdd y
llong ryfel Amethyst yn 1800 y canodd yr awdl o glod i'w gariad
oedd yn rhywle yn Llŷn.

> Temlau ei gruddiau gwareiddion—iachus,
> Llwyn cariadus lliw ewyn croywdon;
> Arleisiau fal cynnar lwysion—flodau,
> Ar ei bochau, cein eryb wychion.
>
> Ei pharabl, digabl hyd eigion—symlder:
> Hi a ddetholer o ddoetholion:
> Meinwas, deg iawnwasg union—wregysiad,
> Fal aur wychiad, neu ufel wreichion.

Pan fydd y gwynt o gyfeiriad y gorllewin yn yr haf, mae
traeth Llanbedrog yn glyd ac yn gysgodol. Rhed y ffordd i fin
y traeth, ac y mae yno faes parcio braf i adael car, a llawer o
gyfleusterau proffidiol eraill ar gyfer ymwelwyr glan y môr.
Daw'r cytiau ymdrochi i'w lle yn rhengoedd unffurf yn gynnar
yn nhymor yr haf, a bydd golwg llawer mwy urddasol arnynt
wrth y tywod na phan fyddant yn wintro yn glos ac yn wasgedig
fel blociau chware mewn bocs, ar gae wrth ochr y ffordd. Y
cytiau, y cadeiriau clwt a'r cychod amryliw ydyw llawer o'r haf
ar y traeth erbyn hyn. A'r rhododendron a glas newydd y
pinwydd ar y llethrau.

Rhag llusgo'n rhy hir ym mhentref Llanbedrog, gellir dringo
i fyny allt Cerrig Gwynion i bentref ac ardal Mynytho. Mae
dwsin neu bymtheg o dai o gwmpas y Post, ond nid oes yma
bentref yn yr ystyr gyffredin. Mae ffiniau'r ardal yn glir ac yn
bendant iawn, ac nid oes gan y sawl a ystyrio ei hun yn un o
Fynytho unrhyw amheuaeth yn ei feddwl ynglŷn â chymeriad
ei ardal. Cyfyd y tir yn weddol sydyn wrth ddod i fyny o Lan-
bedrog nes cyrraedd gwlad agored, ac mae'n werth aros i edrych
yn ôl oddi ar un o droadau'r rhiw i weld gogoniant yr olygfa i
gyfeiriad Eryri. Bae Pwllheli a gwastadedd o wlad glytiog ei

phatrwm islaw, a'r gwastadedd yn codi yn raddol yn y pellter i fynd yn 'gadernid Eryri'. Mynyddoedd dieithr Sir Feirionnydd yn y pellteroedd ar y dde, ac yna, Moel Hebog yn siapus ac yn unig. Trumau balch yn ymwthio i ddarn guddio ei gilydd, nes agor yn union gyferbyn i wneud lle i'r Wyddfa ei hun, yn glir urddasol yn yr haf, yn ddirgelwch niwlog yn y Gwanwyn, ac yn bellter oer dan eira gaeaf. Yna yn y pellter ychydig i'r chwith, Moel Eilio a rhai o fynyddoedd Bethesda, ac yn nes, mynyddoedd Eifionydd a Dyffryn Nantlle. Cwm Talmignedd, a Chwm Dulyn a Chwm Silyn fel mwgwd ar y tomennydd llechi a mân bentrefi'r llech-weddau, ac fel darn o ddiddymdra ar draws y blynyddoedd yn cymryd arnynt mai hwy ac nid amser ei hunan sydd yn cuddio'r gorffennol ac yn troi ei ffaith yn ddychymyg a'i haniaeth yn hiraeth. Draw acw yn rhywle, y tu hwnt i esmwythyd glas y mynyddoedd y mae darn o oes wedi ei glymu wrth le a phobl a phethau, a chyfres o ddigwyddiadau mewn amser yn eu cysylltu i gyd â ffaith y presennol hwn. Eler yn ôl yno 'a'r dychymyg yn drên', a gall unrhyw beth ddigwydd. Ond eler yn ôl yno heb y trên ac nid oes dim yn aros o'r lle ond ei ffurf nac o'r pethau ond eu cysgod. Nac o'r bobl ond carreg las ar fedd dau mewn myn-went wrth odre pentref. Ac o'r cyfan, atgofion. Y cymydog hwnnw â'r cellwair cynefin yn ei lygad yn troi yn ddireidi o hiraeth wrth iddo gofio amdano'i hun yn hogyn ym Mynytho cyn iddo erioed glywed sôn am weithfeydd Aston-in-Makerfield na chwareli llechi Dyffryn Nantlle.

Peth peryglus ydyw dechrau stelcian ar daith a gwell troi'n ôl oddi wrth yr olygfa banoramaidd hon heb ddim ond cip cyn cychwyn ar y Gurn Goch a'r Eifl a gorffen gyda Garn Boduan wrth fôr y gogledd. Bron na ellir teimlo'r newid wrth adael ffug drefolrwydd Llanbedrog a dod yn ôl i wladolrwydd gwir-ioneddol Mynytho. Ond cyfnewid esmwyth ydyw. Nid oes yma yr un rhybudd ar y ffordd i ddweud mai dyma'r ffin rhwng y naill a'r llall, ac y mae'r ddau yn cyd-fyw yn ddigon didram-gwydd. Esmwyth iawn y newid yn y wlad hefyd, nes bod llechweddau'r grug ar y Foel Gron yn llawer mwy atyniadol nag ochrau caregog mynydd Llanbedrog. Wedi troi wrth y Post ar ben Mynytho a dilyn y ffordd am Aberdaron, mae'r

Foel Gron yn cyrraedd hyd at ymyl y ffordd fawr ar y dde ar ôl
pasio'r ysgol a'r comin, ac anodd iawn fyddai peidio ag aros wrth
y Cerrig Mawr lle mae ffordd Coed y Fron yn troi o'r ffordd
fawr. Eithriad ydyw pasio'r llecyn hwn yn yr haf heb weld dau
neu dri o geir wedi aros yma i'w teithwyr gael edmygu golygfa
gofiadwy arall. Y peth doethaf i'w wneud ydyw gadael y car ar
y comin a cherdded i fyny'r Foel Gron trwy borffor blodau'r
grug. Ar ddiwrnod clir gellir gweld ar hyd arfordir Cymru o
Gricieth i Sir Benfro dros fae Ceredigion. Pan fydd yn stormus
bydd yr ewyn yn codi yn gymylau gwynion ar drwyn Cilan ac
ar nosweithiau braf byddai'n werth dod yma o bellter ffordd i
weld llwybr y lleuad dros y môr o Aber-soch.

Ychydig cyn cyrraedd y comin a'r Foel Gron, led dau gae
o'r pentref, mae'r neuadd a enwogwyd gan englyn R. Williams
Parry,

> Adeiladwyd gan Dlodi,—nid cerrig
> Ond cariad yw'r meini;
> Cydernes yw'r coed arni,
> Cyd-ddyheu a'i cododd hi.

Dweud y drefn am gynllun a ffurf y Neuadd Goffa y bydd ambell
bensaer ifanc, ac awgrymu mai'r gamp fwyaf ynglŷn â hi oedd
ymdrech yr ardalwyr i'w hadeiladu. Mae'n wir bod ei tho yn
syth iawn a bod llawer o ddiffyg cytbwysedd rhwng ffenestr a
mur yn ei hochrau, ac efallai nad yw wedi ei gosod i doddi i
batrwm ei chefndir. Ond beth bynnag am bensaerniaeth y
Neuadd, mae erchyllbeth o gwt hyll iawn rhyngddi a'r ffordd.
Cwt o eiddo'r Awdurdod Addysg i wneud cinio i blant ysgol y
Foel Gron ydyw. Mae'r ysgol ei hun hefyd braidd yn hen bellach
gyda'i ffenestri bwaog o fân wydrau.

Ni fu gan ardal Mynytho erioed y fath amrywiaeth o gŵn ag
sydd gan Lanbedrog, ond bu ganddi gymaint o nifer o filgwn ag
unrhyw ardal pan oedd y cwningod yn bla yn Llŷn. Mae ambell
filgi ac ambell ffuret i'w cael o hyd, ond nid oes fawr o ragolwg i
fachgen yn gadael yr ysgol ddod yn ei flaen arnynt heddiw fel
oedd ugain mlynedd yn ôl. Mae ambell fflach o annibyniaeth a
her pobl y mynyddoedd i'w cael yn yr ardal o hyd. Byddai hen

bobl ym mhlwyfi Bryncroes a'r Sarn yn cofio fel y byddai rhai
o ferched Mynytho yn dod o gwmpas i loffa ŷd pan oedd bywyd
yn galed ac arian yn brin. Troent yn ôl adref yn gyffredin iawn
yn gyfoethocach o'r ŷd a loffent ac o ambell fwcedaid o datws,
neu botelaid o lefrith neu ddarn o fenyn hefyd.

Trwy stad tai cyngor Coed y Fron, rhed y ffordd o Fynytho
i lawr i gyfeiriad Aber-soch. Gan fod modd cyrraedd y dreflan
honno ar y ffordd yn ôl, gellir troi o'r ffordd groes hon drachefn
i lawr rhiw serth heibio capel y Bedyddwyr ac i lawr i bentref
Llangian. Dyma un o bentrefi tlysaf Llŷn, mewn cilfach gysgodol
ar lawr gwlad. Enillodd y wobr am fod y taclusaf o holl ben-
trefi'r Sir, ac y mae golwg lân gynhesol arno wrth ddod ato i
lawr yr allt. Prin y gellid dychmygu dod ar ei draws wrth edrych
i'w gyfeiriad o'r wlad o gwmpas. Llechweddau sythion, olion
symud wyneb daear sydd oddi amgylch, ac ambell gilcyn o graig
yn codi yn sydyn o gorstir. Ond fel gweld ystafell wrth ddod i
lawr grisiau neu agor drws, daw pentref Llangian i'r golwg, yn
glyd fel nyth dryw. Mae'r lle yn wag ar brynhawn o Wanwyn
cynnar heb neb i'w weld ar y ffordd nac yn nrysau'r tai. Lle mor
dawel â phe byddai'n set ar lwyfan theatr a phawb wedi mynd
adref a gadael y lampau i gyd yn olau. Awel fach yn ysgwyd
dail crin yn rhywle, a sŵn dwndwr y ffrwd yn prysuro ei ffordd
i gyfarfod yr Afon Soch, a dim o'r blerwch a geir yn rhy gy-
ffredin mewn pentrefi. Dim cytiau sinc wedi hanner rhydu, dim
gwifrau pigog ar begiau blêr, dim cloddiau wedi bochio allan ac
ar fin dod i lawr. Dim tuniau na phapurau na photeli na photiau
jam.

Yr eglwys a Neuadd yr eglwys ydyw'r ddau adeilad pwysig
yn y pentref. Saif yr eglwys ar fymryn o godiad tir wrth ymyl y
groesffordd lle mae'r ffordd o gyfeiriad Nanhoron yn dod i'r
pentref. Adeilad diweddar ydyw'r eglwys, a rhannau ohoni wedi
eu codi er cof am aelodau o deulu Nanhoron. Mae tipyn o
arbenigrwydd o gwmpas porth yr eglwys, wedi ei adeiladu o
dderw ac eto yn gwbl addas i weddill yr adeilad cerrig. Mae'r un
derw mewn rhannau o borth y fynwent yn cyfannu patrwm yr
eglwys a'r fynwent, ac yn enghraifft dda o bosibiliadau cymysgu
defnyddiau adeiladu yn effeithiol. Taclusrwydd a glanweithdra

H

sydd o gwmpas yr eglwys ymhobman, yn y llwybrau a'r cloddiau a'r fynwent. Yr oedd haul mawr golau prynhawn o Fawrth y tu allan, ond y tu mewn yn y distawrwydd oer, a sŵn y dail crin a sŵn y ffrwd wedi eu cau allan, yr oedd y golau yn feddal ac yn esmwyth ac awgrym o foethusrwydd parchus ynddo. Goleuni gweddus iawn hefyd i'r sgrin dderw gerfiedig, a'r pulpud, a'r ddarllenfa ar ffurf eryr. Ac yng nghyffyrddiad ambr y goleuni, safai'r coflechau cerfiedig ar y muriau i goffawdwriaeth teulu Nanhoron. Milwyr a gwŷr eglwysig oedd llawer ohonynt a'u hanes yn Saesneg ar furiau eglwys eu plwyf eu hunain. Hanesion tebyg i'r un am Timothy Edwards a fu farw yn 1780. Gwnaed ef yn gapten llong ryfel yn 1777, ac ymladdodd mewn pedair brwydr yn India'r Gorllewin yn erbyn y Ffrancwyr. Tebyg iawn iddo gychwyn yn ôl am adref yn ŵr llawen â'i fryd ar wobrau ac anrhydeddau. Ond ar y degfed o Orffennaf, 1780, bu farw o ddwymyn ar fwrdd y llong yn naw a deugain oed. Rhoddwyd y garreg i'w goffau ar fur yr eglwys gan Catherine Edwards, ei weddw.

Allan yn ôl eto i haul y Gwanwyn, a chau drws yr eglwys a drws y cyntedd derw yn ddistaw ar gyfrolau pres a cherrig hanes teulu'r Plas. Yn y fynwent wrth ochr yr eglwys mae carreg ithfaen â'r ysgrifen 'Meli Medici Fili Martini Iacit' arni yn gof am rywun oedd yn enwog ymhell iawn cyn bod sôn am yr un enw arall sydd wedi ei dorri ar garreg na mynor yma. Carreg fedd un o'r enw Melus ydoedd ac yr oedd Melus yn feddyg. Dyma'r unig enghraifft o 'medicus' ar hen garreg yng Nghymru a Lloegr. '(Carreg) Melus, y meddyg, mab Martinus. (Yma y) gorwedd.' Yn rhyfedd mae Lladin yr ysgrifen aneglur hon yn gwneud i ffwrdd â llawer o'r gwahaniaeth sydd rhwng y cerrig eraill a'i gilydd, ac yn dod â chrandrwydd y croesau Celtaidd hirfain a symledd tlawd y cerrig gleision i gynefindra yr un cyfnod.

Ffordd wledig gul sydd yn arwain o bentref Llangian i fyny pwt o ddyffryn yr afon Soch, ac yna, ar ôl croesi'r bont hir gyferbyn â ffermydd Pen-y-bont a Rhydolion a Glan-Soch, rhed gyda godre syth y tir uchel sydd yn codi i gyfeiriad Pen y Gaer ac yn cysgodi Aber-soch wrth lan y môr. Mae'r afon yn llusgo gydag ochr y ffordd yma, ac yn troi a throsi ar y gwastadedd gwlyb yn union fel pe byddai wedi sorri am na fyddai wedi cael mynd i'r môr ym Mhorth Neigwl. Hesg gwynion sydd gyda glan yr afon am gryn ffordd oddi wrthi ar brydiau, a lle da i weld dyfrgi weithiau yn gynnar yn y bore yn pysgota. Lle da hefyd i saethu hwyaid gwylltion. A bydd ambell 'abad gwyn' o alarch ar yr afon ambell dro.

Er mai hon yw'r ffordd gyntaf a'r unionaf i Lanengan, mae modd dod i'r pentref trwy droi oddi arni cyn cyrraedd Pen-y-bont, a mynd heibio Glan Soch a Rhydolion ac i fin Porth Neigwl. Ar y gwastadedd hwn yr oedd fferm Punt-y-gwair cyn i Lu Awyr Lloegr ei sgubo ymaith i gael lle i ymarfer gollwng y bomiau ffrwydro bach hynny a ddefnyddid ganddynt yn rhyfel 1939 - 45, bomiau bach na laddent ond ychydig ugeiniau neu gannoedd o bobl. Rhan o'r cynllun y perthynai erodrom Pen-yberth iddo oedd yr arbrawf tila hwn a fu'n bygwth rhoi enwog-rwydd amheus i Benrhyn Llŷn.

Mae digonedd o gymysgedd o straeon am y Sieffre Parry a ddaeth i fyw i Rydolion yn ystod cyfnod y Weriniaeth yn Lloegr. Milwr ydoedd, ond ei fod yn un o filwyr gweddigar Cromwell. Yn ôl yr hanes pregethai yn y cylchoedd ac yn ar-bennig yn Rhydolion, ac yr oedd ei 'bulpud' ar gael hyd yn gymharol ddiweddar. Byrdwn ei bregethu bob amser oedd ar i'w wrandawyr garu Duw, ac o'r archiad hwn, yn ôl y gymysgedd arbennig hon, y daeth yr enw Love i deulu Madrun. Efallai ei bod yn stori y gellid darllen arwyddocâd digon diddorol iddi o gofio rhai o gysylltiadau'r enw yn ddiweddarach. Cwyna'r gwr oedd yn rheithor yn Llanbedrog yn 1900 yn enbyd yn erbyn y Sieffre Parry hwn am iddo, yn ôl y Rheithor, beri cau drws eglwysi plwyf Llangian a Llanengan am naw mlynedd. Rhoddir cryn sgwrfa i'r gwron Cromwelaidd am anfadwaith felly. Mae'r tŷ sydd yn Rhydolion heddiw yn hen ac yn ddiddorol iawn.

Ychydig i'r gorllewin mae Plas Neigwl, y myn traddodiad eto ei gysylltu â'r Nigel de Lohareyn a gafodd freintiau siarter i drefi Nefyn a Phwllheli. Fferm sydd ym Mhlas Neigwl hefyd erbyn heddiw, a pherthyn i ardal Botwnnog y mae yn hytrach nag i Lanengan. O Fotwnnog y mae'r ffordd iddi. Ceir cyfeiriad

at dân dinistriol a fu yn y Plas mewn cerdd ddisgrifiadol a
briodolir i Mari Siarl, mam Ieuan Llŷn.

Plas Neigwl, trwm yw meddwl
  Yn fanwl fel y bu,
Y gwellt enynnodd yno rywfodd
  Nes llosgodd yr holl dŷ.

Ar gefn y nos dan go
  Caed rhybudd i roi ffo,
'Roedd pawb o'r teulu yno'n cysgu
  Gan drengu ar fyr dro.

A dirwyn y gân i'w diwedd echrydus mewn dwsin o benillion
caled. Dros ychydig o dwyni tywod mae'r traeth enwog, Safn
Uffern yn Saesneg. Er ei fod yn prysur ddod yn gyrchfan ym-
welwyr haf, nid yw yn draeth diogel mwy nag y mae'r bae ei
hun gyda'i gerrynt croesion cordeddog, yn ddiogel. Mae rhannau
ohono yn eithaf diberygl, ond i'r anghyfarwydd gall fod yn enbyd
iawn. Gŵyr pobl sy'n byw o gwmpas ei hanes yn o dda, a gellir
cael cyngor yn hawdd ynglŷn â'r mannau diogel. Nid yw cyn-
ddrwg yn siŵr â'r disgrifiad ohono gan Ieuan Llŷn:

Lle gerwin hylla goror,—terwynllais,
  Taranllyd ddygyfor;
Ni rydd drycin ym min môr
Nawdd i long, ni ddeil angor.

Bloeddied, ystormied ei sturmant—glau fawr
  Glafoeried ewyngant;
Llafared ei llifeiriant,
Rhued y môr hyd ei mant.

Mae'n ddigon posibl mai ei neilltuedd a'i dawelwch sy'n ei
wneud yn lle da i bysgota draenogiaid oddi ar y lan. Nid oes llawer
o grefft chwipio afon gyda phluen ar enwair, na hyd yn oed
ollwng pry genwair i ddŵr torri bach ar y pysgota hwn. ond i'r
sawl nad yw wedi datblygu i uchel-leoedd y grefft, gall fod yn
ffordd ddigon difyr o chwilio am fwyd. Yn wir rhaid dysgu
lluchio'r plwm a'r abwyd allan wrth lein hir oddi ar wialen ac
yna aros am ychydig cyn dechrau dirwyn i mewn yn raddol.

Mae'r pysgota yn fwy llwyddiannus yn y nos nag yn y dydd, ond er y gellid ei gymharu â physgota'r nos am siwin yn yr afonydd—ac y mae hynny yn beth aruchel iawn—eto, rhyw godi un ael a thueddu i edrych i lawr eu trwynau y mae pysgotwyr mawr a lled awgrymu nad yw'r datblygiad o bin wedi ei phlygu a'i rhwymo ar edau bacio wedi bod yn gwbl ddi-dramgwydd. Rhywbeth heb fod lawer yn well na physgota gwrachod. Ond stori arall yw honno. A ph'run bynnag, y mae plwc draenog, neu ledan hyd yn oed, yn gymaint o wefr ar y funud a thra maent o'r golwg â phlwc gwibiog brithyll.

Daw ffordd Morfa Neigwl allan yn y groesffordd wrth ymyl yr eglwys ym mhentref Llanengan. Mae Llanengan yn debycach i bentref yn ôl y syniad cyffredin, ond er fod yma ysgol ac eglwys a thafarn a siop, nid oes yma daclusrwydd glân Llangian. Ni chynhelir ysgol yn yr hen adeilad dros y ffordd i'r eglwys erbyn hyn. Ar ddarn o dir y Faenol y codwyd yr ysgol yn nechrau'r ganrif ddiwethaf, ond codwyd ysgol arall yn ddiweddarach yn nes i'r mannau yn y plwyf lle'r oedd y boblogaeth yn cynyddu. O ran ei safiad ym mhatrwm cyffredinol y pentref mae eglwys Llanengan yn edrych yn rhy fawr ar gyfer ei lle, ac yn pwyso'n drwm ar wynt y gweddill o'r adeiladau o'i chwmpas. Ond mae'n hen eglwys ddiddorol iawn, â'i ffenestri bwaog a'i cholofnau mawr. Mae'r twr sgwâr yn beth anghyffredin yn Llŷn, ac y mae'r tair cloch sydd ynddo yn urddasol rhagor na'r un gloch gyffredin. Yn yr eglwys mae sgrin hen iawn, a'r hen eisteddleoedd a breich-iau arnynt yn cysgodi y tu mewn iddi. Dywedir yn y pentref fod y sgrin wedi dod o Abaty Enlli, a bod yr hen gist a gerfiwyd allan o ddarn cyfan o goeden wedi bod yn eiddo'r mynaich hefyd rywdro. Byddai tri chlo ar y gist, a thri agoriad gwahanol, un bob un gan y ddau warden ac un gan y person, fel na ellid agor y gist heb i'r tri fod gyda'i gilydd. Ffordd syml iawn o gadw arian yn ddiogel.

Mae'r awyrgylch y tu mewn i'r eglwys yn wahanol iawn i Langian. Mae'r golau yn wyn ac yn lân ar yr haenau o henaint sydd yma, a'r cerfio mewn maen a choed yn hŷn ac yn llawer mwy urddasol na cherfiadau Nanhoron. Uwchben y drws mae olion cell, ac heb fod ymhell mae ffynnon Engan a fu unwaith fel

ffynnon Gybi, yn gyrchfan cleifion a rhai methiantus. Mae'n
eithaf posibl hefyd mai 'Lux', goleuni, ydyw gair cyntaf un o'r
arysgrifau Lladin sydd ar y tŵr uwchben y drws. Wrth borth y
fynwent cyn dod allan yn ôl i fân brysurdeb y pentref, mae
llawer o ddisgrifio Hywel ap Dafydd o'r eglwys a'i muriau
trwchus yn swnio yn ddi-ffuant iawn. Gwir iawn oedd cyfarch
yr hen frenin gyda,

> Ŵyr Guneddaf, araf wyd—
> Wledig, rhinweddawl ydwyd;
> Mae d'eglwys fawr yn llawr Llŷn,
> Mwy yw'r adail ym Mrydyn . . .
>
> Glân yw'r ddôl glain ar ddolef,
> Gardd a wnaeth i gwir Dduw nef;
> Mae'n llawr hon main allor haf,
> Medrodau mal modrydaf.

Waeth beth fo traddodiadau enwadol dyn na pha mor gam
fo'i ben, mae tynfa mewn eglwys na cheir mohoni mewn capel.
Ymlaen ar y ffordd am Aber-soch y mae capel Y Bwlch, ond go
brin yr erys neb o'r rhai fydd yn dod o eglwys Llanengan i droi
i mewn i weld y capel. Gall fod yn gapel digon glanwaith a
hardd,—y mae capel Y Bwlch felly—ond nid oes atyniad ynddo
fel sydd yn yr eglwys. Troi ar y chwith gyda'i wyneb y bydd y
rhan fwyaf o grwydrwyr a mynd am dro i Gilan cyn mynd i
Aber-soch. O ben y rhiw ceir cip ar wastadedd bach o wlad o
gymeriad gwahanol iawn, ac y mae'r tai mawr a'r gerddi costus
fel pe baent yn ceisio cyflyru dyn ar gyfer awyrgylch gwahanol
iawn i awyrgylch Morfa Neigwl ac eglwys Llanengan. Adeilad
gweddol ddiweddar ydyw'r ysgol ar ochr Sarn Bach i'r rhiw.
Hesg gwyn a chorsydd glannau'r afon dros ael y bryn y tu ôl
iddi a phrysurdeb modur a thractor ar y llechweddau isel o'i
blaen.

O'r groesffordd yn Sarn Bach, gellir dilyn y ffordd i Fwlch-
tocyn, yn ddau neu dri o dai o gwmpas capel yr Annibynwyr, ac
ymlaen at westy Porth Tocyn a thraeth tywod fel Porth Ceiriad,
a chilfachau fel Porth Bach yn wynebu'r dwyrain. Mae golygfa

dda o eithaf y penrhyn ac Enlli oddi ar y gwastadedd uchel wrth
ddod yn ôl oddi wrth gapel Bwlchtocyn, ond nid yw gystal o
dipyn â'r olygfa o ben Mynydd Cilan. Ceir olion o fywyd cynnar
mewn amryw fannau yn yr ardal, a chromlech uwchben y môr
yng Nghilan Uchaf. Ardal braf i grwydro ynddi a lle ardderchog
i gael haul a gwynt a heli môr cyn mentro yn ôl ar y gwastadeddau
carafanog. Mae tebygrwydd mawr rhwng llawer iawn o'r ardal
yn ei moelni di-gysgod a rhannau o orllewin Iwerddon. Mannau
prin lle mae ffwdan a phrysurdeb wedi gadael rhyw ychydig o
weddill o segurdod a hamdden. Efallai eu bod felly am nad oes
dichon mynd drwodd i unman ond i'r môr, a bod yn rhaid troi
yn ôl.

Felly, i lawr yr allt heibio capel Cilan eto, ac yn ôl i'r gwas-
tadedd yn Sarn Bach. Am ysbaid rhaid gadael yr hen bethau o'r
gorffennol, yn gaer a chastell, yn eglwys o'r chweched ganrif a
gwaith plwm o gyfnod y Rhufeiniaid, a throi at foderniaeth 'yr
Abar'. Prin y gweddai i neb ddynesu ati ar ei draed. Os am
gerdded tuag ati, y peth gorau fyddai dilyn y llwybr o Fwlchtocyn
ar hyd y Cwrs Golff gyda glan y môr. Ond i deithio yn weddus ar
y ffordd o Sarn Bach, rhaid cael rhyw fath o olwynion. Car
efallai a gorau po hwyaf y bo'i drwyn. Neu foto beic a dwy
beipen egsôst ruadwy arno. Dull arall o fod yn deilwng ar y
ffordd lydan hon fyddai dod yn un o'r ceir agored uchel hynny a
strap a bwcwl arno am ei drwyn fel pe byddai'n brathu. I deith-
io'n ddiymhongar, gellir dod mewn unrhyw fath o gar, o un
pum punt ar hugain i un pedair mil. Yr eithafion, yn naturiol
ddigon, biau'r sylw.

Tra deil y wlad yn ddarn o Lŷn o hyd, mae'n werth cofio
wrth basio bwthyn bach â'i dalcen i'r lôn cyn cyrraedd pont fach
dros ffrwd mai yn ymyl yma y mae'r Ysgubor Wen, cartref yr
Esgob John Owen a aned yn 1854. Yr oedd yn eglwyswr mawr
yn ei ddydd, ac yr oedd ganddo gryn ddiddordeb mewn addysg.
Ar ôl bod yn Ysgol Botwnnog aeth i Goleg Iesu, Rhydychen,
ac yr oedd yn M.A. yn 1879. Cysegrwyd ef yn esgob Tyddewi
yn 1897. Bu farw yn Llundain yn 1926. Bu'n gadeirydd y
pwyllgor fu'n gwneud yr ymchwil a gyhoeddwyd yn 1927, *Y
Gymraeg mewn Addysg a Bywyd*. Yr oedd yn un o ddisgyblion

Ysgol Botwnnog yn un o'i chyfnodau mwyaf blodeuog.

A bellach, Aber-soch. O fis Hydref hyd y Pasg, bydd pentref yr 'Aber' yn ddigon tebyg i weddill pentrefi Llŷn, yn arbennig y pentrefi lle mae'r ymwelwyr yn dod yn yr haf. Mae mwy o ôl yr haf ar y gaeaf yma nag mewn mannau eraill efallai, a mwy o ymfflamychu mewn gwisg a mwy o fwngleriaith Seisnigaidd mewn siarad. Ond at ei gilydd, pentref glan y môr a chefndir o bysgota a ffermio iddo ydyw Aber-soch yn y gaeaf. Y mae yma er hynny, ddwy gymdeithas, ac er mor amwys yr ymadrodd, dwy ffordd o fyw, neu, os oes rhaid manylu, dwy ffordd wahanol o ymateb i amgylchiadau ac amgylchedd. Mae yma Saeson cyffredin ac anghyffredin, a Chymry yr un fath, a thuedd, yn y ddau ddosbarth, i gadw o fewn terfynau eu cylchoedd eu hunain. Er fod yma ddigonedd o gynffonwyr a nawddogwyr, a'r gymysgfa arferol o ddiddordebau, eto erys y ffiniau yn bur bendant, a cheir dosbarth dawnsio bale a chwmni drama Saesneg ar y naill law, a chlwb ieuenctid yn dysgu dawnsio gwerin a chwmni drama Gymraeg ar y llaw arall. Plant yn siarad Saesneg ac yn byw yn Saesneg, a phlant eraill yn siarad Cymraeg ac yn byw yn Saesneg ac yn Gymraeg. Gan y Saeson y mae'r arian, a hawdd iawn ydyw i'w bwysau a'i ddeniadau demtio plant i feddwl bod arian a Saesneg yn canlyn ei gilydd o ran eu hanfod.

Pan ddaw canol Gwanwyn a gwyliau'r Pasg, dinistrir y cytbwysedd yn llwyr gan dyfiant y cnewyllyn o gymdeithas Seisnig sydd fel pe'n cadw pentiriaeth yn ystod y gaeaf. Dylifa teuluoedd a ffrindiau yn ugeiniau o Loegr, a boddir Cymreictod y gaeaf yn llwyr. Amrywia'r agwedd at yr ymwelwyr o eithaf y rhai sy'n cynffonna i eithaf arall y rhai sydd, am nad ydynt yn dibynnu ar yr ymwelwyr am eu bywoliaeth, am fod braidd yn ffroenuchel. Ond rhwng yr eithafion mae rhelyw mawr y boblogaeth yn mynd ynghylch eu busnes, a derbyn y llifeiriant estron fel drwg anochel. Byddai'n beth braf iawn pe gellid fforddio byw hebddynt, ond o orfod ennill bara beunyddiol, gellid cael gwaeth ffyrdd o wneud hynny. Digon tebyg i ffermwr a garai weld ei dir i gyd o dan gropiau tyfadwy, ond a ŵyr y llwgai pe digwyddai hynny, ac sydd o ganlyniad yn gorfod edrych ar y tir yn cael ei ffagio dan draed gwartheg a moch. 'Fydd y ffermwr ddim yn

dynwared ei wartheg a'i foch chwaith. Term arwyddocaol iawn
ydyw 'cadw fisitors', a glywir yn gyffredin. Mae rhywbeth
hoffus iawn yn yr agwedd sydd ynddo. Yr un fath â 'chadw' ieir
neu unrhyw beth arall sy'n talu. Agwedd arall ar yr un math o
fyw ydyw'r bobl fydd yn cymryd 'defaid cadw' dros y gaeaf.
Ac y mae hyd yn oed ffermwr sâl yn gofalu bod y rheini yn
mynd yn ôl i'w cynefin i fwrw'r haf.

Traeth tywod, melynwyn cysgodol ydyw atyniad cyntaf
Aber-soch fel cyrchfan ymwelwyr haf, er mai prin iawn yr eglura
hynny y cynnydd eithriadol yn rhif yr ymwelwyr yn ystod y
blynyddoedd hyn. Mae a wnelo'r bobl sy'n prynu tai a'u cadw
yn wag drwy'r gaeaf dipyn â'r cynnydd, a gellir priodoli peth
o'r cynnydd i'r poblogeiddio sydd mewn poblogrwydd. Pobl
yn hel at ei gilydd, yna pobl eraill yn dod yno i edrych arnynt ac
i werthu pethau iddynt, a'r peth yn ei ail-adrodd ei hun fel
haenau caseg eira. Ond y cychod hwylio ydyw'r prif reswm dros
y cynnydd diweddar. Mae'r hwylustod sydd yma i hwylio cwch
wedi tynnu pobl o bob man, ac ym mis Gorffennaf ac Awst,
bydd y ffyrdd o gwmpas yn llawn o geir a chychod y tu ôl iddynt
neu ar eu pennau. Bydd cychod lliwgar ar y traeth ac yn yr
harbwr, ac ar brynhawniau heulog byddant allan yn y bae a'u
hwyliau'n cantio mewn brisyn ffres. Cynhelir yr ymrysonfeydd
swyddogol bob wythnos trwy fisoedd yr haf, a chedwir cyfrifon
cymhleth o berfformiadau'r gwahanol gychod.

Ar y ffordd wrth ddod i Aber-soch o Sarn Bach mae amryw
o dai diweddar ac arbennig iawn eu cynllun. Mae pendantrwydd
cymeriad a mynegiant ymhob un ohonynt, a phwyslais ar ffurf
a chynllun sy'n eu gwneud yn rhywbeth mwy o gryn dipyn na
mannau diddos i 'mochel pan fydd hi'n bwrw glaw. Adeiladau
ymhongar diwedd y ganrif ddiwethaf a dechrau'r ganrif hon
ydyw llawer o'r tai sydd ynghanol y pentref, ac yna wrth basio'r
bythynnod sydd yn ymyl yr harbwr, y tai newyddion drachefn
ym Mhenbennar. Nid un syniad cyfyngedig sydd y tu ôl i
gynllunio fel hyn, ond patrwm o ddatblygiad. Gellir cerdded oddi
amgylch Penbennar nes dod i'r traeth. Peth anghyffredin ar
draethau Llŷn yw gweld cymaint o goncrit ac o fân deios. Ond
wedyn, lle anghyffredin ydyw Aber-soch hyd yn hyn. Eglwys

sinc ac ysgol bren, siopau alwminiwm a dau gapel cerrig solet fel dwy graig.

Cyn troi dros y bont a gadael y pentref, mae rhai argraffiadau i'w cofio. Côr o ferched ifainc yn ymarfer ar gyfer cystadleuaeth yn Eisteddfod yr Urdd, a'u hacen wrth ganu ac wrth siarad yn gwbl ddi-lediaith. Almaenes ifanc wedi priodi bachgen o Abersoch oedd wedi ei gyfarfod yn nyddiau'r rhyfel, ac wrth hiraethu am ei chartref a llechweddau'r grug yn Lunenbürg, yn dweud ei bod yn falch o rug cilfachau Llanengan a Llangian.

Rhag mynd i grwydro mewn atgofion, gwell gadael y pentref a chysgod y bae ac Ynysoedd Sant Tudwal, lle mae olion mynachaidd o wahanol gyfnodau heb gael eu harchwilio yn llwyr, a dilyn y ffordd fawr eto heibio i frech y carafanau ar dir Y Fach, ac ar hyd y gwastadedd rhwng y twyni tywod.

Mae rhagor o baent a phowldrwydd y carafanau ar y dde. Maent o'r golwg wrth lwc, er bod eu gwahoddiad yn daer ar fin y ffordd. Ar y chwith yng nghysgod rhyw ganllath o fryncyn mae Castellmarch. Plasty hen wedi ei droi yn dŷ fferm fel llawer o'i gymheiriaid ydyw erbyn hyn, a fawr o ddim o'i gwmpas i atgoffa'r ymwelwr o'r chwedl am Farch Amheirchion a'i glustiau anffodus. Ond y mae'n hen le diddorol iawn o ran ei gysylltiadau ag enwau diweddarach, ac y mae'r tŷ ei hun gyda'i drawstiau a'i risiau derw a'i urddas hen ffasiwn yn werth ei weld. A'r croeso yn anhygoel. Bu aelodau o'r teulu yn feddygon ac yn gyfreithwyr, a cheir amryw gyfeiriadau atynt yng nghofrestri eglwys Llangian. Mae cof am drychineb o deulu Castellmarch sydd dros gant oed ar un garreg ym mynwent Llangian. Tri phlentyn i Henry ac Anne Griffith yn marw o fewn naw diwrnod o amser ym mis Chwefror, 1854, yr hynaf yn naw oed, ei frawd yn dair, a'i chwaer yn saith mis. Mae'n dal yn anodd cael lle yn y patrwm i farwolaeth plant bach.

Un o Gastellmarch oedd Syr William Jones, a aned yn 1566. Galwyd ef i'r bar yn Lincoln's Inn yn 1595, a bu yn Aelod Seneddol dros Fiwmares a Sir Gaernarfon. Yr oedd yn farnwr yn 1623, ond ymneilltuodd yn 1625 a daeth i fyw i Gastellmarch. Efe oedd yn gyfrifol am godi'r tŷ fel y mae heddiw. Bu farw yn Llundain yn 1640 a chladdwyd ef yng nghapel Lincoln's Inn.

Yn Nhy'n y Coed, neu Gastellmarch Uchaf, yr oedd cartref John Williams yr Anghydffurfiwr cynnar a fu mewn helbulon a threialon yn yr ail ganrif ar bymtheg. Cofrestrwyd Tŷ Newydd yn dŷ cwrdd yn 1672, ac yno mae'n debyg yr oedd cartref y meddyg a'r pregethwr ar ôl iddo ddychwelyd i Lŷn yn ŵr priod . . .

Dros ysgwydd y bryncyn y tu ôl i Dŷ'n y Coed mae ardal Mynytho, ac yn union ymlaen ar hyd y ffordd fawr ar y gwastadedd mae llethrau caregog yr ochr arall i Fynydd Tir Cwmwd a Thrwyn Llanbedrog yn ymestyn i'r môr. Gwibia trafnidiaeth ymwelgar Aber-soch ar hyd y ffordd, a thyfiant y cloddiau yn chwyrlio gan ei gyflymder, er bod llathenni o le glas rhwng y ffordd a'r clawdd. Yr oedd tractor yn cwyno ei ffordd i fyny llethr yn rhywle yn y cefndir a grŵn eroplen yn uchel uwchben. Ac yn ystod egwyl o eiliad ddi-draffig, daeth dwy eneth ifanc rownd y tro o gyfeiriad Glyn y Weddw, mewn dillad marchogaeth a chapiau pig, ar gefn dau geffyl porthiannus, meingoes. Aeth y ddwy heibio yn Saesneg, yn gefnsyth yn eu cyfrwyau, a daeth sŵn y tractor yn chwibanu ei ffordd i lawr y llethr o rywle yn y cefndir.

Y Canolbarth

Mae rhai ardaloedd yng Nghymru wedi magu beirdd i ganu iddynt a'u gwneud yn enwog, ac y mae ardaloedd eraill heb gael eu canmol mewn caneuon mawr gan eu plant. Ac weithiau digwydd yn wahanol. Ambell dro mae bardd yn dewis ardal a'i wneud ei hun yn rhan ohoni, ac yna yn canu i'r ardal honno. Gall y cysylltiad fod yn un main iawn, ond pe na byddai ond sigl un gair, mae'n ddigon i beri creu mewn geiriau. Digwyddodd llawer o'r mabwysiadu hwn yn eithaf Penrhyn Llŷn, ac un adnabyddus ohonynt ydyw cân Cynan,

> Yn Llanfihangel Bachellaeth
> Mae'r lle tawela 'ngwlad Llŷn.
> Yn Llanfihangel Bachellaeth,
> Pe caet dy ddymuniad dy hun,
> Heb ffwdan na hir baderau
> Fe roddem dy gorff i lawr
> Lle ni ddaw ond cân ehedydd
> I dorri'r distawrwydd mawr.

Nid dryllio'r delwau ydyw cofio wedyn am Lanfihangel Bachellaeth yn dŵr o gerrig oer ar brynhawn o aeaf a gwynt y dwyrain yn chwipio fel cyllell o'i chwmpas, a chlo ar y drws, ond yn hytrach gyfannu'r agweddau gwahanol ar y tawelwch a'r llwydni diarffordd.

Rhaid troi a throsi llawer ar hyd mân ffyrdd yn y canolbarthau hyn. Mae datblygiad diddorol mewn llwybrau. I ddechrau mae'r llwybr gwirioneddol y bydd pobl yn ysgrifennu llythyrau i glarc y Cyngor Plwy yn ei gylch,—llythyrau yn cwyno ei fod yn amhosibl ei gerdded yn y gaeaf neu fod eisiau llidiart mochyn newydd mewn clawdd terfyn arno. Pan ddaw'r llwybr yn ddigon llydan o glawdd i glawdd i drol a cheffyl fedru mynd ar ei hyd, yna bydd yn mynd o afael y Cyngor Plwy. Gall fagu dwy haen denau o dar a cherrig mân ar hyd ei draciau yr adeg yma, a'r canol glaswellt yn dal yn esmwyth i geffyl i'w gerdded. Y gris nesaf yn ei ddyrchafiad ydyw cael tar o glawdd i glawdd yn awr ac yn y man fel bo'r cyllid yn ateb. Y nesaf ydyw ffordd groes a digon o le i ddau gar basio ei gilydd arni mewn ambell ddarn. Ac wedyn, ffyrdd mawr llychlyd budron y mapiau. Adeiladwyd 'lôn newydd Nanhoron' gan Richard Lloyd Edwards ar ei gost ei hun, a chyflwynodd hi i'r cyhoedd i gofio am fab i'r teulu a gollodd ei fywyd yn un o frwydrau'r Crimea. Cychwyn y ffordd bron gyferbyn â llidiard y Plas, a llithro'n raddol dan gysgodion y coed a rhwng llechweddau blodau'r gog nes dod allan ar y gwastadedd uchel yn ymyl Llanfihangel Bachellaeth. Mae pentref Rhydyclafdy ymlaen ar hyd y ffordd a Gallt y Beren ar y chwith ychydig cyn ei gyrraedd. Ond arwain y ffordd hon ymlaen am Efailnewydd, ac felly rhaid troi'n ôl. Yn wir, troi a throsi fel hyn ydyw'r unig ffordd i weld yr ardaloedd hyn.

Wrth groesffordd Bodgadle mae ysgubiad o dro mawr braf yn mynd i'r dde i gyfeiriad Garnfadrun. Mae'r Garn ei hun yn gymaint o gloncyn ag erioed, fel mwdwl gwair mawr ar ganol y penrhyn, a thaith ddifyr yn nechrau haf ydyw dringo trwy'r grug a'r coed llus i gyrraedd y copa lle mae'r awyr yn denau ac yn lân. Diflanedig iawn, o'i gymharu â'i gogoniant hi, fu gogoniant y plasty yn ei chysgod. Aeth hen stad Madrun o fod mewn amser byr iawn. Erys y 'Castell'—plasty bach ar ffurf gastellog gothig ydyw—ar ei draed o hyd yn neilltuedig yn y coed wrth droed y mynydd. Ychydig ar ôl gadael croesffordd Bodgadle a phasio capel bach y Greigwen ar y dde, mae'r hen dŷ porth oedd yn gwarchod y ffordd i'r plas. Mae ffordd bach dlos iawn trwy Nant y Gledrydd o Geidio ac Edern yn dod allan yma hefyd ac yn mynd ymlaen am y plas ar wastadedd braf. Swyddogaeth olaf Madrun oedd bod yn Sefydliad Amaethyddol y Sir. Saif tŷ a godwyd yn dŷ'r Prifathro ar lecyn ysgafn cyn cyrraedd y Castell ei hun, ac y mae un neu ddau o dai gweithwyr yn agos hefyd. Symudwyd y Sefydliad Amaethyddol i ardderchocach awyrgylch Glynllifon erbyn hyn, a gwerthwyd Madrun i fod yn fferm fasnachol nad yw yr hen blas o unrhyw ddiddordeb yn ei threfniant, ac o ganlyniad mae'n prysur ddadfeilio a dilyn llu mawr o rai tebyg iddo a roddwyd i'w cadw gan rym poblogrwydd cyffredinedd ac unffurfioldeb yr hanner canrif hyn.

Yr oedd David Roberts o ardal Rhoshirwaun dros ei bedwar
ugain oed ac yn cofio yn dda amdano'i hun yn saer coed ar y
stad ym Madrun cyn i'r hen deulu fynd i fyw o'r plas. Mr. Yale
oedd y gŵr bonheddig yr adeg honno, er bod David Roberts yn
cofio Syr Love yno hefyd. Teulu Plas yn Iâl oedd y teulu yma,
ac yr oedd mab iddynt wedi ei glwyfo yn rhyfel y Transvaal a
gartref ym Madrun yn gwella. Penderfynodd y tenantiaid a'r
gweithwyr roi anrheg iddo, ond aeth yn anghydweld ar y
cwestiwn a rhannwyd yn ddwy garfan. Dewisodd y tenantiaid roi
pistol arian, a'r gweithwyr gwpan arian, a phan ddaeth noson y
cyflwyno yr oedd tân mawr yn y coitiws a digon o fwyd a diod
i bawb.

"Ond 'doedd gynnon ni neb i roi y gwpan," meddai David
Roberts, "ac mi ofyn'on i'r ffarmwr oedd yn rhoi y pistol fasa
fo yn rhoi ein presant ninna. A choffa da i'w enw fo, mi 'nath
yn yr un geiria yn union ag y deudodd o am bresant y ffarmwrs.
Bora drannoeth dyma'r gŵr bonheddig ata i i'r gweithdy i
ddiolch am y gwpan ag i ddeud 'i bod hi ar y bwrdd y noson
cynt a'i llond hi o siampên."

Yr oedd tipyn o ddirmyg yn ei frawddeg olaf,

"'Dwn i ddim 'nath o rwbath efo'r hen bistol hwnnw byth
ai peidio."

Mae Catalog yr arwerthiant a gynhaliwyd ar y 29 a'r 30 o
Fehefin, 1910, pan brynwyd y Castell gan y Cyngor Sir, yn
ddiddorol iawn ac yn ddarlun o gynnwys a gwerth anhygoel
plasty bach fel hyn. Ar ôl dechrau yn weddus iawn gyda chant
namyn tair o gyfrolau mewn rhwymiad croen llo a llythyren aur
o weithiau beirdd Prydain, cyfyd i restr o ddarluniau olew prin
a gwerthfawr o'r Eidal a'r cyfandir, ac yna trwy restr faith o
ddodrefn costus y gwahanol ystafelloedd hyd at lotiau o gytiau
magu ffesant oedd yn cael eu dangos y tu allan. Ac yn olaf, ac
awgrymog—berfa. Deunydd campus ar gyfer un o areithiau
ymfflamychol sosialwyr bara-a-chaws y Blaid Lafur yn y dau
ddegau. Ac eithaf gwir hefyd efallai. Ond ochr arall y stori.
Dim ond dau ddiwrnod o ocsiwn i anfon i'r pedwar gwynt eiddo
oedd wedi ei gasglu yn ofalus a dethol am bedwar çan mlynedd

ac oedd wedi cael ei drin a'i edmygu a'i werthfawrogi gan genedlaethau o berchenogion. A dim ond deugain mlynedd wedyn i gracio gwydrau'r ffenestri a rhoi twll yn y to. Cyn bo hir bydd syberwyd Madrun mor ddisôn amdano â Chantre'r Gwaelod.

Pan orfodwyd pobl i gymryd cyfenw yn lle defnyddio'r 'ap' yng nghyfnod y Tuduriaid, aeth llawer enw lle fel Madrun yn enw teulu. Yr oedd John Madrun yn fyw tua 1500. Yn 1586 yr oedd Thomas Madrun, gor-ŵyr iddo, yn Uchel Sirydd ac yn un o'r wyth a garcharwyd ynglŷn â helynt Fforest yr Wyddfa. Am Robert Madrun, ei fab, y canodd Huw Pennant yn ei farwnad,

> Am Robert y mae'r ubain,
> A chur mwy na chario main,
> Duw gwyn a'i dug o'i annedd
> Do, o'r byd is daear bedd,
> Ac ni ddug, o winwydd iach,
> O haelioni wr lanach.

Yr oedd Syr Thomas Madrun, ŵyr iddo, yn Gyrnol ym myddin y Senedd yn amser Cromwell. Bu ei fab ef farw heb briodi, a daeth yr enw Madrun fel cyfenw i ben. Ond daeth y stad yn eiddo Margaret Parry o Gefnllanfair, disgynnydd i Sieffre Parry o Rydolion, a fedyddiodd ei fab yn Lovegod Parry. Arhosodd y talfyriad Love yn y teulu, ac yr oedd ei mab hi, Syr Love Parry Jones Parry, yn swyddog uchel yn y fyddin ac yn ymladd yn y rhyfel rhwng Lloegr ac America yn 1812 ac 1814. Yr oedd hefyd yn eisteddfodwr brwdfrydig.

Yr oedd mab Syr Love Parry Jones Parry yn dod i'w oed y flwyddyn y bu farw ei dad yn 1853. Ei enw llawn oedd Thomas Love Duncombe Jones Parry, ond fel Love Jones Parry yr adwaenid yntau. Cafodd addysg orau Lloegr yn Rugby a Rhydychen, ond ar ôl etifeddu'r stad a chael digon o arian, aeth i grwydro hyd y cyfandir a bu i ffwrdd am flynyddoedd yn hogyn digon drwg. Unwaith yn Gibraltar croesodd y ffin i Sbaen a gorchmynnodd sentri iddo fynd yn ôl, ond lle ufuddhau ymosododd ar y sentri. Rhoddwyd prawf milwrol arno a'i ddedfrydu i farw—i gael ei saethu ymhen ychydig ddyddiau. Achosodd y

newydd gynnwrf mawr yn Llŷn a chynhaliwyd cyfarfodydd
gweddiau arbennig i weddio drosto. Bu'n rhaid i'r Frenhines
gymryd y mater mewn llaw yn y diwedd, ac fe ryddhawyd y
carcharor cyn hir. Nid oedd ryfedd i'w fam adeiladu Glyn y
Weddw yn Llanbedrog pan ddaeth y mab hwn yn ei ôl a dod i
fyw i'r plas. Yn 1868 gwnaeth enw mawr iddo'i hun trwy ennill
sedd Sir Gaernafon i'r Rhyddfrydwyr yn erbyn Douglas Pennant,
mab Arglwydd Penrhyn. Dyma'r etholiad olaf cyn cael y balot,
ac yr oedd rhai yn Llŷn yn fyw yn ddiweddar oedd yn cofio gweld
pobl yn dod i bleidleisio yn agored. Rhwng 1868 ac 1885 Syr
Love oedd arwr mawr y Rhyddfrydwyr yn y Sir, ac am ei waith
dros y blaid honno y cafodd y Syr yn 1886. Yr oedd yn farwnig
yn wir, ond gan na fu iddo blant nid oedd neb i gario'r teitl ar
ei ôl. Yr oedd yn un o hyrwyddwyr mawr y mudiad gwladfaol
yng nghanol y ganrif, ac ef a Lewis Jones a aeth allan i Batagonia
yn 1863 a dod i gysylltiad â llywodraeth yr Ariannin. A phan
laniodd y fintai gyntaf ym Mhatagonia ar yr 28ain o Orffennaf,
1865, galwyd y porthladd yn Borth Madrun o barch i goffaw-
dwriaeth Syr Love,—Puerto Madryn ar y mapiau swyddogol
heddiw.

Ond nid De America ydyw gwrthrych y crwydro hwn ac
felly gwell fydd troi o Fadrun a mynd ymlaen dros y bont wrth
y Felin ac i fyny'r allt i gyfeiriad y Dinas. Dylid troi ar y dde
oddi ar y ffordd hon i weld eglwys Llandudwen, sydd mor lân
ac mor brydferth â'i henw. Yn wahanol iawn i'r rhelyw mawr o
eglwysi Llŷn nid oes welltyn o'i le yn ei mynwent nac arlliw o
lwch ar na sedd nac astell y tu mewn iddi. Ar nos Sadwrn yn y
Gwanwyn yr oedd un o'r wardeiniaid yno yn gorffen tacluso'r
blodau ar gyfer gwasanaeth y Sul, a pharch at fangre gysegredig
eglwys ei blwyf ymhob symudiad o'i eiddo.

Robert Jones, Rhos-lan, pan oedd yn byw yn Nhŷ Bwlcyn,
ydyw enw pwysicaf ardal y Dinas mae'n debyg. Ymlaen ar y
ffordd heibio'r capel ac ar y dde mae ffermydd Nyffryn, lle
ganed yr Esgob Richard Fychan tua 1550. Gwnaed ef yn esgob
Bangor yn 1595, ac aeth oddi yno i Gaer ac yna i Lundain. Yr
oedd yn un o'r rhai a fu'n cynorthwyo William Morgan i
gyfieithu'r Beibl ac yr oedd Henry Rowlands, yr esgob o Sarn

Mellteyrn, yn berthynas iddo.

Wrth fynd ymlaen o ymyl y capel yn y Dinas, mae ffordd gul ar lawr dyffryn yng nghysgod Garn Fadrun yn mynd i bentref Llaniestyn. Ar y chwith mae'r ffordd yn troi i Dŷ Bwlcyn. Mae'r dyffryn yn troelli a chulhau wrth fynd ymlaen, ac yna ar ôl dod yn hafn wedi pasio Nant Fawr, mae'n agor allan yn was-tadedd ffrwythlon fel dysgl a'i hwyneb i lygad yr haul, a chysgod gwynt o bob cyfeiriad. Lle diddorol a thlws a phosibiliadau mawr yn ei dir a'i ddaear. Bu datblygu ar raddfa fechan ar dir y dyffryn ar wahanol adegau, ond ni chafwyd erioed ymgais i ddatblygu ar raddfa eang a allai ddod â ffyniant i'r ardal ac i ardaloedd eraill o gwmpas. Arbrofion a gafwyd yn fwy na dim mewn tyfu llysiau a ffrwythau, ond tueddai llawer ohonynt i ddangos y gellid datblygu. Enghraifft oedd gŵr yn gwerthu gwerth rhai degau o bunnau o fefus mewn ychydig ddyddiau, a hynny oddi ar lain o dir digon cyffredin a heb gymorth na pheiriannau na gwybodaeth wyddonol ddiweddar.

Ei glydwch a'i gysgod ydyw rhinweddau Llaniestyn, a bydd ambell ddiwrnod o Wanwyn cynnar fel canol haf yno ar ôl dod i lawr o'r gelltydd o gwmpas. Mae coed tewfrig yn cael tyfu yn syth yno a gwneud golwg fawreddog arnynt eu hunain Mae dwy res o goed yw tywyll yn cysgodi'r llwybr o borth y fynwent at ddrws yr eglwys a'u dail meinion yn llithrig dan draed pan fydd yr hydref yn sych. Saif y Rheithordy ychydig bellter oddi wrth yr eglwys yr ochr arall i'r ffordd, a gellir dychmygu y byddai'r offeiriad yn ddigon pell oddi wrth y miri a'r sŵn o gwmpas yr eglwys pan fyddai angen defnyddio'r efail gŵn sydd yno i wahanu'r rhai fyddai'n ymladd. Mae'r dyddiad 1750 wedi ei losgi arni, a hawliai rheithor 1910 ei bod yn arbennig o hir. Ond fe hawliai ef hefyd mai'r gelynnen a dyfai o flaen y Rheithor-dy oedd y fwyaf yng Nghymru.

Yn Nhŷ Mawr yr oedd cartref Owen Owen, a aned yno yn 1850. Yr oedd yn gefnder i'r Esgob John Owen o Lanengan, ac addysgwyd y ddau yn Ysgol Botwnnog. Yr oedd Owen Owen yn gerddor da ac yn 1878 sefydlodd ysgol yng Nghroesoswallt a ddaeth yn enwog iawn am i nifer o'i disgyblion ddringo i safleoedd pwysig. Gwnaeth lawer o blaid y Datgysylltiad pan

I

oedd yng Nghroesoswallt. Yn 1897 penodwyd ef yn Brif
Arolygydd cyntaf y Bwrdd Canol yng Nghymru. Gwnaeth fwy
na neb i lunio'r gyfundrefn addysg uwchraddol i siroedd Cymru
o dan Ddeddf 1889. Bu farw yn 1920, ac y mae tabled coffa iddo
ar fur yr hen neuadd yn Ysgol Botwnnog.

Mae modd gadael Llaniestyn ar hyd y gulffordd droellog
sy'n cychwyn o ganol y pentref ac yn mynd heibio i gapel
Rehoboth, ond i fyny'r allt yn syth ymlaen oddi wrth borth yr
eglwys ydyw'r briffordd. Mae'n werth crwydro oddi ar hon
hefyd, er mai lôn groes ydyw, er mwyn cael mynd i fyny o ymyl
Glan Beuno i ardal Garn Fadrun. Mae cymeriad y wlad yn newid
am ychydig ac yn mynd yn foel a llwm. Mae'r cloddiau cerrig
o boptu'r ffordd yn debyg i gloddiau cerrig y mynyddoedd, ac
y mae'r awyr yn lanach ac yn deneuach nag awyr cilfachau'r
gwastadeddau. Ymestyn gwastadedd dyffryn yr Afon Soch yn
dolciog ddiddorol islaw, wrth i ddyn aros ar y ffordd o flaen y
capel Methodus yn Y Garn ac edrych i lawr. Gydag ochr y capel a
heibio'r caban teliffon cychwyn llwybr y mynydd, ac nid oes
llawer o waith dringo ar y Garn o'r fan yma. Mae'n anodd
dweud pam, ond mae rhywbeth hen ffasiwn ynglŷn ag ardal Y
Garn. Yn uchel ar ochr y mynydd fel hyn, dylai rywsut fod yn
glir ac yn lân ac yn ddiweddar. Dylai fod yn edrych i lawr ar y
llannau a'r pentrefi hen ffasiwn, ac yn codi ei herielau teledu i
foderneiddio ei diwylliant. Ond nid felly y mae. Lle croesawus
tê a bara brith ydyw. Lle y mae pobl yn dal i alw ei gilydd wrth
eu henwau heb eu trimio gyda'r Mistar a'r Misus sydd yn rhan
o'r diwylliant cas-llythyr Seisnigaidd yma. Lle pwyllog, ara deg,
a baw gwartheg hyd y ffordd.

Ymlaen o'r Garn i Benbodlas a dod allan yn ôl eto uwchben
dyffryn Nanhoron. I'r chwith oddi yma mae Llanfihangel
Bachellaeth, ac ar y dde mae'r tir uchel yn disgyn yn raddol i
wastadedd dyffryn yr Afon Soch. Ffermydd ar wasgar, a thir
cymysg yn perthyn iddynt, ydyw patrwm yr ardal, nes dod i
lawr i dir comin Pen Rhos Botwnnog. Byddai sipsiwn yn cyrchu
yno hyd yn ddiweddar iawn, ond dim ond tomen o bolion trydan
a llwyfan llaeth ar bedair coes sydd yno'r dyddiau yma. Bu yno
ysgerbwd modur oedd wedi mynd ar dân am sbel hefyd. Dylai

rhywun fod wedi gweld golau glas gwan yn symud yma yn y nos.

I lawr heibio Mur Serchog a Bron Phylip mae'r ffordd yn troelli nes cyrraedd y Rheithordy ar y chwith, ac yna ychydig yn is i lawr mae'r eglwys, yn lân ac yn drwsiadus, a bwa o ywen dywyll uwchben y fynedfa. Wedyn ychydig ymlaen, adeilad blêr, tebyg i ffatri yn dechrau mynd yn hen, nes dod yn ddigon agos ato i weld bod darn ohono yn llawer hŷn na'r gweddill. Ysgol Botwnnog ydyw'r adeilad, a thalcen y gloch ydyw'r darn ohoni sydd wedi ei gadw fel yr oedd pan godwyd ef yn 1848. Mae'r ysgol yn hŷn o lawer na hynny. Sefydlwyd hi gan Henry Rowlands, bachgen o Sarn Mellteyrn a ddaeth yn esgob Bangor, ac a gasglodd gyfoeth enfawr. Bu farw yn 1616, ac ymysg llawer o roddion y bu yn manylu yn eu cylch yn ei ewyllys hirfaith, gadawodd arian i'w buddsoddi i gael elw i godi a chynnal ysgol rad ym mhlwyf Mellteyrn neu Fotwnnog. Yn y Tŷ Gwyn, wrth ymyl yr eglwys yr oedd yr ysgol gyntaf, ac erys yr hen adeilad â'i furiau trwchus yno o hyd. Mae llawer o bethau diddorol yn hanes yr ysgol, ac un ohonynt ydyw'r ymdrech barhaus a wneir i'w symud i rywle arall, Dechreuodd yr helbul hon pan wnaed cais gan Henry Maurice, y Piwritan o Fethlan yn amser Cromwell. Tybiai ef mai doeth fyddai mynd â'r ysgol i Bwllheli, lle, meddai, yr oedd llawer o ddynion duwiolfrydig yn byw, ac yna, ar ôl ei symud, awgrymai mai cam doeth arall fyddai ei benodi ef yn brifathro. Mae ymdrech yr hen Biwritan i gael swydd yn edrych yn blentynnaidd a diniwed iawn yn ôl safonau ein dyddiau ni. Parhaodd yr ymdrechion hyn i symud yr ysgol ar hyd y blynyddoedd. Bu ymgyrch ffyrnig dros ben yn 1890 ac un arall yn fuan ar ôl Deddf Addysg 1944. Awgrymid yr adeg hon symud rhan o'r ysgol i Bwllheli ond bu gwrthwynebiad cryf i'r bwriad a pharchwyd teimlad trigolion Llŷn o blaid ysgol yr Esgob. Yma y mae'r hen ysgol o hyd a'i hanes yn ymestyn yn ôl yn batrwm brith am dros dair canrif, i'r amser pan oedd y bachgen bach o Fellteyrn, o deulu bonheddig yn mynd i ryw ysgol a gedwid ym mhlwyf Penllech ac yn cael hwyl ar ddysgu. A bu dysgu plant yma er yn fuan ar ôl marw'r bachgen bach hwnnw yn henwr cyfoethog, yn meddwl y byd o'i addysg, ac am i

fechgyn tlawd ei ardal yn Llŷn gael cyfle i ddod ymlaen a chasglu
cyfoeth. Erbyn heddiw, Ysgol Eilradd Ddwyochrog Ramadeg
Fodern. Mae'r caeau chwarae yr ochr arall i'r ffordd a'r fynedfa
iddynt gyferbyn â mynedfa'r ysgol.

I lawr o'r ysgol heibio'r Dyffryn ac at y Post, a chollir y
ffordd groes yn y ffordd fawr sydd wedi dod o Bwllheli ac yn
mynd yn ei blaen i Aberdaron. Ar y chwith heibio i gapel y
Methodistiaid yn Rhyd-bach y mae'n mynd i Bwllheli, ac o'i
dilyn o wastadedd glan yr Afon Soch dros gefnen o dir uwch,
deuir yn ôl drachefn i ddyffryn Nanhoron. Mae'r plasty ar y dde
i'r ffordd fawr a choed yn ei gysgodi o'r ochr yma. Mae'n debyg
mai Richard Edwards, y Piwritan a fu farw yn 1704, oedd yr
aelod enwocaf o'r teulu. Yr oedd ganddo gysylltiadau â'r rhelyw
mawr o deuluoedd pwysicaf y cylchoedd a thrwy rai ohonynt
y profir ei gysylltiadau â'r Piwritaniaid. Gwnaeth lawer o waith
fel cyfreithiwr a chynghorwr doeth i'w gyfeillion, ac yn ei amser
ef, ar ôl yr Adferiad, y daeth swyddogion y Brenin o hyd i arfau
wedi eu cuddio yn y Plas.

Ymlaen ar hyd y ffordd fawr heibio i Gapel y Nant mae ffordd
las gul sydd yn troi at y Capel Newydd. Ceir rhybudd ar fin y
ffordd i'w nodi ac y mae'n werth mynd i'w weld. Hen Dŷ
Cwrdd o'r ddeunawfed ganrif ydyw wedi ei adeiladu ar gae o'r
enw Cae'r Delyn yn perthyn i stad Nanhoron. Ceir pennod
ddiddorol iawn o'i hanes yn Nhrafodion Cymdeithas Hanes y
Sir (Cyfrol 16, 1955), a cheir llawer o chwedlau wedi tyfu o'i
gwmpas. Trwy ymdrech arbennig y diweddar Gwilym T. Jones
yr atgyweiriwyd ac yr adnewyddwyd yr hen adeilad, ac
erbyn heddiw, ar ôl cost sylweddol a gwaith medrus crefftwyr
lleol, mae iddo gymeriad arbennig iawn. Ni fyddai'n syn yn y
byd gweld rhywun tebyg i Siân Owen yn cerdded o un o'r
seddau uchel, ac y mae'n hawdd iawn dychmygu'r hen
gynulleidfa yn eistedd yn syth a chael gorffwys gwell i'w cyrff
ar galedwch pren nag a geir heddiw ar ewyn ryber. Mewn
tawelwch meddwl y mae gorffwys, ac nid oes dawelwch tebyg i
sicrwydd sant.

Bydd aroglau Blodau'r Gog yn llond yr awyr a chlytiau o
oleuni yn sglentio arnynt trwy frigau'r coed ar y llethrau o

31. Llanengan.

32. Eglwys Llaniestyn.

33. Ysgol Botwnnog.

34. Coed Nanhoron.

boptu'r ffordd o ymyl yr Efail yn Nanhoron i fyny ac i lawr y
dyffryn. I lawr i gyfeiriad Llangian mae ffordd gysgodol a
chlawdd isel rhyngddi a'r coed, a cheir cipolwg ar Blas Nanhoron
trwy doriad yn y coed weithiau. Mae golwg gadarn ddiogel
arno o'r ffordd yma, ac y mae llwybr o'r plas i'r Capel Newydd
heb fod ymhell yn dwyn i gof yr hanes am haelioni Catherine
Edwards, gwraig Timothy Edwards, a aeth i gyfarfod llong ei
gŵr i Bortsmouth pan oedd ef yn gapten llong ryfel ac yn glanio
yno yng Ngorffennaf, 1780, ar ôl gwneud gwrhydri yn India'r
Gorllewin. Ond pan gyrhaeddodd y wraig ifanc o Lŷn y porth-
ladd pell, newydd trist am farw ei gŵr a'i gladdu yn y môr oedd
yn ei haros. Gadawyd hi yn unig ac yn drist ac yn dlawd yn y
dref ddieithr, ond bu pobl y grefydd newydd yn garedig iawn
wrthi, a phan ddaeth hithau yn ôl i Nanhoron, glynodd wrth
gredoau a dulliau y cyfeillion a fu'n garedig wrthi, ac ymaelododd
yn y Capel Newydd. Mae cylch o goed o gwmpas parc y plas
rhyngddo a'r ffordd, ond clawdd gwahanol iawn i gloddiau
uchel Glynllifon a'r Faenol a'r Penrhyn sydd yma. Hwyrach bod
mwy o ddringo ym mhobl y mynyddoedd nag sydd ym mhobl
Llŷn.

Bydd yn well osgoi Llangian y tro hwn a dilyn y ffordd am
y Rhiw yn y groesffordd wrth Dyddyn Llywelyn. Dyma ardal
'ffermydd mawr glanna'r Afon Soch 'na', chwedl rhai o bobl
Rhoshirwaun a fyddai yn tueddu i genfigennu neu ffieiddio wrth
ferched ffroenuchel y ffermydd hyn a fyddai yn mynd i Ysgol
Botwnnog hanner cant a thrigain mlynedd yn ôl. O Dyddyn Gwyn
a'r Barach heibio i Dal-y-sarn a Seithbont nes dod i Neigwl
Ganol a Neigwl Uchaf a Phen y Bont. Gwastadedd toreithiog
gwaelod Porth Neigwl ar y chwith a chapel Neigwl a chaban
teliffon un o boptu'r ffordd. Mae tipyn mwy o ddefnydd yn cael
ei wneud o'r caban teliffon nag o'r capel erbyn hyn. Ar y dde
mae'r ffordd yn mynd ymlaen a throelli yn beryglus heibio
mynwent eglwys Llandygwnning. Eglwys fechan foel ydyw, a'r
tŵr ar ffurf bocs pupur, yn eithriad, ac yn gwneud iddi edrych
yn fwy diaddurn ac anghyffredin na'r rhelyw o eglwysi Llŷn.
Rhed y ffordd gyda'r afon am ychydig ar ôl gadael yr eglwys, a
gyferbyn dros wastadedd glannau'r afon, mae coed a phlas

Gelliwig a fu'n gysylltiedig â Nanhoron nes ei werthu ar ôl marw
gweddw'r Cyrnol Gough, a fu'n byw yno am gyfnod. Pan fu
farw ei brawd symudodd hi i Nanhoron ac o'r amser honno dir-
ywiodd gwedd allanol Gelliwig. Bu teulu o Jonesiaid yn byw
yma cyn i'r plas fynd i berthyn i Nanhoron, a cheir sôn am un
cyfreithiwr, John Jones a aned yn 1743, a fu'n ddigon dewr i
briodi gwraig weddw wedi claddu dau ŵr. Cownslar Jones oedd
enw pobl yr ardal o gwmpas arno, ac yr oedd yn gyfreithiwr
medrus.

Yn ôl i'r ffordd fawr wrth gapel Rhyd-bach eto, ac er
prysured ydyw, cadw arni am dipyn heibio'r Post a heibio ysgol
Pont-y-gof a'r efail. Yn yr efail yr oedd dau hen lanc yn byw, a'r
ieir yn dod yn ôl a blaen i'r tŷ yn gartrefol, ac yn pigo'r sborion
oddi ar lawr pan fyddai'r ddau yn cael cinio. Tatws trwy'u crwyn
fyddai'r cinio, a'u tywallt yn bentwr o'r sosban ar ganol y bwrdd, a
phawb gyrraedd, a helpu ei hun i'r halen.

Ar wastadedd glan yr afon, ychydig i'r chwith ar ôl gadael
Botwnnog, mae fferm braf, a'i hadeiladau taclus yn glwstwr
gyda'i gilydd o gwmpas yr iard. Bodnithoedd ydyw, a bu'n wrth-
rych taith i ffermwyr yr ardaloedd fwy nag unwaith. Un o'r
teithiau fferm a drefnir yn achlysurol gan Bwyllgor Amaeth y Sir.
Cyfarfod ar ôl noswyl yn dyrfa fechan gymysg, o'r ffermwyr
mawr yn eu brethyn Harris a'u hetiau gwyrdd a'u sgidiau
cochion, i'r gwas bach yn ei felfared a'i feret du a'i sgidiau
Welington a'u topiau wedi eu troi i lawr at hanner ei goesau.
Dechrau'r daith yn y beudy a'i galch ffres a'i goncrit glân, yn
gwrando ar ferch ifanc rugl ei pharabl yn egluro dirgelion
glanhau a diheintio peipiau ryber peiriant godro, sut i'w dat-
gymalu ac i'w cadw mewn cyflwr i ddiogelu bod y llaeth yn lân
ac yn bur. Pob beret yn y gynulleidfa yn gwrando yn astud ac yn
cymryd diddordeb amlwg, a'r hetiau yn tueddu i edrych yn
nawddogol a lled wenu ynddynt eu hunain, fel pe baent hwy
yn ymwybodol iawn o bwysigrwydd glanweithdra ynglŷn â
pheiriannau godro. A llawer ohonynt wedi gorffen godro cyn
dod gyda bys a bawd gwlyb o ffroth y bwced laeth. Yna o'r
beudy i'r caeau, a gŵr cyfarwydd yn egluro'r cynllun pori, a'r
trefnu ar gyfer cadw cyflawnder o fwyd at anghenion dyddiol y

fferm. Dadansoddi sgwâr bach o borfa a gwneud ambell flodyn bach del yn chwyn. Sylwi ar lendid croen y caeau a'r gwellt iraidd tywyll, difwsogl yn dechrau gwlitho gyda'r nos a gwlychu trwynau'r sgidiau cochion a'r sgidiau Welington. Gorffen y daith yn ôl yn yr iard y tu allan i'r cytiau moch, a haul braf gyda'r nos yn machlud dros ochr y Rhiw a pheri i'r cerddwyr argoeli tywydd sych, ac o ganol yr agweddau diweddaraf ar gyflyru porfa at fagu stoc, dod yn ôl at y sylfeini hanfodol, haul a glaw a gwynt, sydd wedi gyrru llawer un heblaw Twm Pen Ceunant i chwilio am Ynys yr Hud.

Ym Modnithoedd yr oedd Owen Owens,—Owain Lleyn— yn byw. Yr oedd yn gryn fardd a llenor yn ei ddydd ac yn berthynas i'r bardd a'r hynafiaethydd Elis Owen o Gefnymeusydd yn Eifionydd. Efallai iddo gael deunydd ei englyn i'r brithyll wrth grwydro glan yr Afon Soch ar derfyn ei dir ei hun,

> Yn ei awydd un eon—yw brithyll
>   Yn brathu abwydion;
>   Chwim ei dro yn llywio'n llon,
>   Drwy lif y dryloyw afon.

Ac yn sicr ddigon yn ei stad ddi-briod ei hun y cafodd ddeunydd ei englyn i'r Hen Lanc,

> Cu hoyw fab, hen lanc wyf fi,—byw'r ydwyf
>   Heb wraig i'm tafodi;
>   'Wna plant ddim mwyniant i mi—
>   Fy hunan 'rwy'n fwy heini.

Bu farw yn hen ŵr un a phedwar ugain oed a chladdwyd ef ym mynwent Botwnnog yn 1867.

Dros Ben-bryn Bodnithoedd a heibio Crugeran a rhes ddi-ddychymyg o dai Cyngor, ac yn sydyn a dirybudd mae pentref Sarn Mellteyrn yn swatio o'r golwg mewn cilfach a thro lle mae'r Afon Soch yn ffrydiau culion. Mae'r pentref yn ganolfan ffyrdd ac yn gyrchfan hwylus o bob cyfeiriad, a dyna'r rheswm pennaf dros ei bwysigrwydd o hyd mae'n debyg. Pe byddai'r trên wedi dod ymlaen o Bwllheli, mae'n ddigon posibl y byddai pwysigrwydd y Sarn wedi ei golli, a rhyw bentrefyn bach arall wedi codi o gwmpas y stesion. Ond wrth golli'r moderneiddiwch hwnnw yr oedd yr hen gyfleusterau yn aros ac yn barod pan ddychwelodd pwysigrwydd y ffyrdd mewn blynyddoedd diweddar. Dim ond dwy neu dair o siopau, Post, capel, eglwys a thair tafarn fu'n di-sychedu teithwyr y goets fawr a'r frêc. Daw un ffordd o Bwllheli trwy Fotwnnog, un o Fryn Mawr i lawr y Graig Las heibio'r ysgol, un o'r Rhiw, un arall o Dudweiliog, a'r olaf o Aberdaron. Ni fydd teithwyr y bwsiau lleol yn mynd i lawr i chwilio am gropar rhag cael annwyd fel y byddai pobl y goets fawr, ond bydd amryw o fwsiau dieithr yn aros er mwyn eu teithwyr yn yr haf. Rhaid bod yr hen bobl yn fwy sychedig hefyd. Yr oedd yma bedair tafarn yn eu hamser hwy ac erys y plaster lle bu'r enw uwchben y Welington o hyd.

Patrwm cymysg fel ffilm yn rhedeg weithiau'n rhy gyflym ac weithiau'n rhy araf ydyw patrwm bywyd y Sarn. Bydd yno ddigonedd o fynd a symud ar ddiwrnod sêl, a'r lorïau mawr yn llwytho a dadlwytho gwartheg a defaid a moch. Bydd yn llonydd a disymud yno ar bnawn Sul, ac y mae'r un distawrwydd o gwmpas dydd Llun Diolchgarwch. Ar ddiwrnod arbennig o'u dewis eu hunain y bydd yr eglwyswyr yn cynnal eu Gwyl Ddiolch. Mae llwybr taclus yn rhedeg o borth y fynwent i lawr goriwaered esmwyth at ddrws yr eglwys, ac ar nos Diolchgarwch bydd y golau cynnes drwy'r drws agored yn glwt melyn arno. Ffrwythau a llysiau yn addurno'r ffenestri a'r pulpud a grisiau'r allor. Ysgub o ŷd a thorth o fara, a'r cyfan yn agos iawn at y pridd a'r ddaear.

Mae un o'r Meini Hirion sy'n bur gyffredin yn yr ardaloedd yn y fynwent yn y Sarn, a gyferbyn â'r eglwys mae tri ffermdy yn agos at ei gilydd ar fin y ffordd fawr i Aberdaron. Tebyg bod y tri thŷ wedi tyfu o gwmpas safle hen blasty Mellteyrn lle'r oedd cartref Henry Rowlands. Ganed ef yma yn 1551 a gorseddwyd ef yn esgob yn 1598. Bu farw ar y chweched o Orffennaf, 1616. Noddodd lawer o achosion da, ond fel sefydlydd Ysgol Botwnnog y cofir amdano yn arbennig yn y Sarn. Mae cofgolofn iddo ym mynwent yr eglwys ym Motwnnog.

I fyny'r allt y mae pob un o'r ffyrdd o'r Sarn yn cychwyn, y ffyrdd am Fryn Mawr a'r Rhiw yn serth iawn, a'r rhai am Bwllheli ac Aberdaron ychydig yn ysgafnach. O'r de a'r gor-

llewin wrth edrych i lawr arno y gwelir llethrau Garn Fadrun
yn rhedeg yn esmwyth y tu ôl iddo, a rhaid mai o ryw un o'r
cyfeiriadau hyn y gwelodd y Parch. William Jones ef i beri i'r
Llanc Ifanc o Lŷn ddweud,

> Merch ifanc yw nghariad o ardal y Sarn,
> A chlyd yw ei bwthyn yng nghysgod y Garn.

Sasiwn ac Eisteddfod a Ffair oedd ffasiwn dechrau'r ganrif yn
y Sarn, a Drama, Chwarae Cardiau a Ffair Sborion ydyw ffasiwn
canol y ganrif. Bu rhai o aelodau Eisteddfod 1884 yn ddigon
mentrus i argraffu a chyhoeddi cynhyrchion eu gŵyl ac y mae
ambell gopi ohono ar gael o hyd. Cynnwys draethawd diddorol
ar enwogion Llŷn, peth prydyddiaeth, a thraethawd ar anhep-
gorion gwraig amaethwr.

Wedi troi ar yr allt oddi ar ffordd Aberdaron, gellir mynd
ymlaen heibio'r eglwys ar hyd ffordd gul gyda godre Mynydd
Cefnamwlch.

> Mynydd Cefnamwlch a bwlch yn ei ben

meddai hen linell y byddai yn dda iawn i bobl ei chofio rhag
dweud 'Cefnamlwch' amdano. Mae'r Comisiwn Coedwigo wedi
bod yn brysur yn torri a phlannu ar lethrau'r mynydd yn ddi-
weddar, a chyn bo hir mae'n debyg y bydd clytiau porffor y
grug wedi eu cuddio gan wyrdd tywyll y coed. Lliw'r grug ydyw
lliw mynydd Cefnamwlch i bawb hyd yma. Rhaid cofio mai
dim ond teitl o gwrteisi mewn gwlad wastad ydyw'r 'mynydd'.
Dim ond bryn bach esmwyth ydyw mewn gwirionedd. Ar y
chwith mae cromlech yn y cae yn wynebu'r gogledd ddwyrain,
ac ar y dde mae coed y Plas a'r Tŷ Porth o ochr y mynydd.

Erys Cefnamwlch yn un o'r ychydig blastai yn Llŷn lle mae
perchenogion y stad yn byw a lle mae'r stad ei hun heb fod wedi
graddol ymddatod oddi wrth ei gilydd mewn patrwm newydd o
ddaliadaeth. Bu hen deulu Griffithiaid, Cefnamwlch, yn bobl
bwysig a dylanwadol iawn yn eu dydd. Yr oedd un o'r meibion,
Edmund Griffith, yn esgob Bangor yn 1633. Enillodd John
Griffith sedd Sir Gaernarfon yn y Senedd yn 1620 a gorchfygu
Syr Richard Wyn o Wydir, a thrwy hynny wneud teulu Cefn-
amwlch yn adnabyddus. Yr oedd wedi priodi yn dda iawn hefyd

gyda merch Syr Richard Trevor, Trefalun, ac yr oedd ganddo
gysylltiadau gyda'r Iarll Northampton. Bu farw y pumed John
Griffith yn 1739. Priododd ei fab, William Griffith, â Sidney
Wynne, o'r Foelas, a dyma'r Madam Griffith a ddaeth yn enwog
oherwydd ei pherthynas â Howel Harris.

Dechreuodd Madam Griffith ddilyn y Methodistiaid yn 1746.
Nid oedd ganddi air da i'w gŵr, a methodd â byw gydag ef pan
aeth yn fethdalwr yn 1749. Tua'r adeg honno y symudodd hi i
fyw i Drefeca a dechrau'r holl helynt a achosodd ei pherthynas â
Harris. Beth bynnag oedd agwedd Mrs. Harris ati, parhaodd
Harris ei hun i'w chynnwys i Drefeca ac i dderbyn ei barn a'i
chyngor. Yn wir yr oedd yn ei chadw hi a'i mab, John, a gofalodd
am addysg y mab yn ogystal. Yn 1752 bu Madam Griffith farw,
a bu farw ei gŵr, William Griffith, yr un flwyddyn. Yr oedd
wedi bod yn destun anghydweld ffyrnig ac ymrannu croes
ymhlith y Methodistiaid, ond barn haneswyr diweddar yw mai
malais ar ran cyfeillion a ffolineb ar ran Harris ei hun oedd yn
gyfrifol am lawer o'r helynt. Yn 1794 bu'r mab farw yn ddi-briod
a gadael y stad i'w gyfnither, Jane Wynne o'r Foelas. Priododd
hi â Charles Finch a dyna gychwyn y ddau enw a gysylltwyd
gyda stad Cefnamwlch yn y blynyddoedd hyn.

Erys llawer iawn o awyrgylch yr hen amser o gwmpas y Plas
ei hun yn y gerddi tawel a'r lawntiau eang. Mae Syr William
Wynne-Finch yn rhoi caniatâd i agor y gerddi i'r cyhoedd er
mwyn casglu arian at wahanol achosion dyngarol yn achlysurol.
Bychan ydyw'r tŷ presennol o'i gymharu â Glynllifon neu'r
Penrhyn, ond y mae gwahaniaeth mawr rhwng awyrgylch
fasnachol y plastai hyn erbyn heddiw a'r awyrgylch yng Nghefn-
amwlch. Mae safle'r tŷ cyntaf ar un o'r lawntiau o flaen y plas,
a chlystyrau o flodau'r Gwanwyn drosto ym mis Ebrill a mis Mai.
Perchir coed yma am eu bod yn hen ac yn urddasol ac yn dlws,
ac yn nistawrwydd gyda'r nos ar y gwastadedd cysgodol o flaen
y Plas, mae'n ddigon hawdd deall agwedd y sawl sy'n teimlo
chwithdod ar ôl y bendefigaeth. Ond boed y cefndir politicaidd
a chymdeithasol fel y bo, mae dod yn ôl i'r ffordd wrth odre'r
mynydd a gadael cysgod y coed fel dod allan i fyd cwbl wahanol,
lle mae cysylltiadau'r gorffennol yn golygu llawer llai, a lle mae

pobl yn ddi-feind iawn o draddodiad. Dygwyd cerrig a ddarganfuwyd ym mhen eithaf y penrhyn, yng Nghapel Anelog, i'w cadw i'r ardd i Gefnamwlch. Dyddiwyd y cerrig tua 500 A.D., ac ar y gyntaf o'r ddwy ceir yr arysgrif, mewn Lladin,—*Veracius presbyter hic iacit*,—"Yma y gorwedd Veracius yr offeiriad". Mae'r ysgrif ar yr ail garreg yn hwy,—*Senacus presbyter hic iacit cum multitudinem fratrum*,—"Yma y gorwedd Senacus yr offeiriad gyda thyrfa o'r brodyr". Mae'n amlwg fod yno fynwent yn gysylltiedig â'r capel a bod nifer o fynachod wedi eu claddu yno.

Ymegyr gwastadedd glan y môr i'r gogledd orllewin wrth ddod o'r ffordd groes i groesffordd Beudy Bigyn, lle mae'r ffordd fawr o Nefyn i Aberdaron yn rhedeg gyda godre'r mynydd. Ar y dde mae pentref Tudweiliog ar dir uchel yn edrych yn union fel pe bai rhywun wedi cael syrffed ar y pentrefi bach clyd a chysurus yn y cilfachau, ac wedi penderfynu cael o leiaf un pentref ar fryn, ac awyr fawr agored uwch ei ben, yn lle amlinell gyfyng bryniau a choed. Mae'r wlad yn ochr y gogledd yma yn fwy agored a gwastad, a gwelir eglwys ac ysgol Tudweiliog o bellter ffordd. Tueddu i dyfu ar hyd ymylon y ffordd fawr y mae'r pentref, er ei bod yn ddigon hawdd canfod cnewyllyn o bentref wedi ei gynllunio a'i adeiladu gan y stad. Mae olion Cefnamwlch yn drwm ar yr eglwys, a saif Gwesty'r Llew—y Ring,—yn barod i'r tenantiaid ddod i dalu'r rhent a chael cinio. Yn ei awyrgylch a'i gymeriad y mae Tudweiliog yn fwy o bentref stad na fawr un arall yn Llŷn, ac eto nid oes yn ei bobl na gwaseidd-dra na snobeiddrwydd. Yng ngweithdy'r crydd a gweithdy'r saer, Cymraeg cyhyrog ydyw'r iaith, ac er bod peiriannau ac offer gwaith yr efail wedi newid, a bod mwy o sŵn hisian y peiriant weldio nag o sŵn chwythu'r tân yno, nid oes llawer o amheuaeth am Gymreigrwydd y gofaint hyn sy'n creu geiriau ar gyfer eu crefft am fod dulliau a moddau'r grefft yn newid.

Un o straeon mwyaf cynhyrfus Tudweiliog yn ystod y ganrif hon ydyw stori'r ddau gychiwr a aeth allan ar daith annisgwyl ym mis Mawrth, 1933.

"Tua un ar ddeg ar fore Mercher oedd hi," meddai un ohonynt wrth ddweud yr hanes, "ac ar ôl cinio cynnar yr oeddwn i wedi cychwyn i ffarm yn ymyl acw am dro. 'Doedd dim llawer er pan oeddwn i wedi gadael yr ysgol, ac er bod yna lawer o bethau oeddwn i heb ddysgu yno, yr oeddwn i wedi dysgu smocio, a mynd i chwilio am smôc aeth â fi at borth y cychod. 'Roedd ffrind i mi yno,—hogyn pump ar hugain oed, wedi bod ar y môr am flynyddoedd ac adre yn cwilla o Borth Sgadan wedi prynu dau gwch. Yn y 'Mary', hen gwch brenin Enlli, yr aethon ni allan i fwrw'r cawall. 'Roedd yna wynt bach ffres o'r dwyrain ond yn lle mynd i ochor y gogledd fel yr oeddan ni wedi meddwl, mi aethon' i afael y llanw a sylweddoli cyn bo hir ein bod yn cael ein cario allan. Wrth fwrw'r cawell i ysgafnhau'r cwch fe goll'son un o'r rhwyfau a chael ein gadael yn hollol ar drugaredd y gwynt. 'Roedd hi'n bnawn Mercher, a'r tir yn mynd o'r golwg a thraethau Sir Fôn yn dechrau dangos tua'r gogledd a ninnau yn ceisio ei g'neud hi am Gaergybi, ond yr oedd wedi nosi cyn i ni gael yn agos yno. 'Roedd golau Caergybi yn taro ar y cwch pan oeddan ni yn pasio ymhell allan yn y môr. Pan wawriodd bore Iau dim ond môr oedd o'n cwmpas ni ymhob man, ond rywdro yn hwyr yn y pnawn 'roeddan ni'n meddwl ein bod ni yn gweld tir. Mi ddaethom i dir tua deg o'r gloch nos Iau."

Cerddodd y ddau i fyny grisiau o'r traeth a mynd i guro wrth ddrws y tŷ cyntaf. Agorwyd iddynt gan John Doonan, Harbour Cottage, Kilkeel, yng Ngogledd Iwerddon. Bu pryder mawr yn eu cylch yn Nhudweiliog nes deall eu bod yn iawn ac ar eu ffordd adre. Mae'r anturiaethwr yn saer coed ers blynyddoedd, ond bydd yn well ganddo lifio lartsus gyda'r nos i wneud cwch na gwneud ei waith drwy'r dydd.

Mae traeth tywod Tywyn, yr ochr isaf i'r pentref, wedi tynnu llawer o garafanau i ben yr allt yn yr haf, a bydd rhes hir o geir wedi eu gadael o boptu'r ffordd ym mis Awst. Rhed y ffordd i'r traeth trwy Ros-lan, ac ymlaen gyda glan y môr nes dod allan i'r ffordd gul, garegog sy'n mynd i Borth Sgadan. Bu'n brysur iawn yma ar un adeg, a'r borth yn harbwr naturiol hwylus. Ac fel rhywbeth yn digwydd gan rym arferiad mae rhywun yn dal i gadw glo yn yr iard agored a'i gario allan mewn lori. Gellir mynd â char i ben yr allt a cherdded oddi yno yn ôl i gyfeiriad Tudweiliog at borth y cychod, lle mae cysgod gwynt a diogelwch

35. Y Ffordd i'r Sarn.

36. Plas Cefnamwlch.
(Trwy ganiatâd Syr William Wynne Finch)

37. Tudweiliog.

38. Pysgotwr ym Mhorth Sgaden.

i gychod pysgotwyr. Lle ardderchog ydyw Trwyn Porth Sgadan i wylio môr y gaeaf yn lluchio ei hun yn gymylau uchel yn erbyn y creigiau, ond mae creigiau'r gogledd yma yn rhy hen ac yn rhy galed iddo wneud difrod yn y byd arnynt, a byddant yn sychu yn dduon ac yn frwnt wedi iddo dawelu a rhedeg allan ar drai.

Pen Draw Llŷn

Mae dwy ffordd yn mynd o blwyf Tudweiliog i blwyf Llangwnnadl. Y ffordd fawr o Bwllheli i Aberdaron yw un, yn mynd gyda godre Mynydd Cefnamwlch. Rhed y llall ar y gwastadedd yn nes i'r môr heibio Tyddyn Mawr a Thyddyn Belyn a Chapel Penllech. Plas-ym-mhenllech ydyw'r fferm fawr ar y chwith, ac eglwys Penllech yn ddigon gwael ei chyflwr, bron â bod yn yr iard. Ychydig yn nes ymlaen ar y ffordd mae Pont yr Afon Fawr, a llwybr yn arwain ohoni i'r traeth. Dyma draeth Penllech, yn filltiroedd o dywod o drwyn Penrhyn Melyn i Borth Golmon. Mae ymwelwyr haf wedi dod o hyd iddo ers llawer o flynyddoedd, ac y mae yn mynd yn llawnach llawnach y naill Awst ar ôl y llall.

Apelia'r môr a'r traethau at bobl mewn gwahanol ffyrdd. Bydd rhelyw mawr y bobl ddieithr yn mwynhau eu hunain yn eistedd ar y tywod ac ymdrochi a chael lliw haul i fynd yn ôl gyda hwynt i'r swyddfa i Fanceinion neu Lerpwl. Bydd eraill ohonynt yn dod â chychod i'w canlyn ac yn treulio eu gwyliau yn hwylio neu yrru ar gylch o gwmpas y bae. Ond rhyw gydnabyddiaeth achlysurol sydd rhwng y bobl hyn a'r môr, er eu bod yn dod i Langwnnadl a Thraeth Penllech ers blynyddoedd. I bobl glannau'r môr eu hunain, y rhai sy'n treulio oes yn sŵn y tonnau yn torri ar y graean, mae'r cysylltiad yn nes o lawer. Nid oes cymaint yn dibynnu ar y môr am eu bywoliaeth erbyn hyn, ond mae atgof o'r amser pan oedd amryw o'r ardalwyr yn bysgotwyr y tu ôl i agwedd llawer un ato. Mae yma bysgota o hyd, ond tipyn o fudd ychwanegol at gyflog mewn gwaith arall ydyw'r elw. Ac i'r rhan fwyaf nid yw'n ddim mwy na bodloni hen ysfa'r ddynoliaeth i 'chwarae dal'.

Y 'cwillwrs', neu'r bobl sy'n gosod cewyll i ddal crancod a chimychiaid ydyw dosbarth blaenaf y pysgotwyr mae'n debyg. Mae ychydig yn dal ati o hyd ac yn ennill eu bywoliaeth wrth y

gwaith. Gwiail wedi eu gwau yn fasged gron a'i cheg yn troi i
mewn iddi ei hun ydyw cawell cimwch, a rhoir abwyd ar linyn
ar draws ei thu mewn i ddenu'r pysgod cregyn ato. Clymir
cerrig trymion wrth y cawell i'w angori, a'i ollwng o gwch wrth
raff i waelod y môr mewn mannau arbennig, a'i adael am ddiw-
rnod. Gadewir rhaff ysgafn â chyrc arni, y sgôp, i nofio ar yr
wyneb i ddangos lle'r cawell. Yna, tra bydd y 'cwillwr' ar dir
sych am bedair awr ar hugain, bydd y crancod yn ymlusgo wysg
eu hochrau, ac ambell gimwch glas yn hercian i mewn i'r cawell
i flasu'r abwyd, ac wedi mynd i mewn yn gorfod aros yno nes
bydd y cwch uwchben unwaith yn rhagor a bach haearn yn cydio
yn y rhaff, a nerth bôn braich yn codi'r cawell a hwythau i'r
cwch. Llaw yn dod i mewn amdanynt ac yn cydio yn fedrus
ynddynt nes gwneud i'w holl grafangio fod yn ofer, a'u taflu i
waelod y cwch a rhoi abwyd ffres yn y cawell cyn ei ollwng yn
ôl. Rhaid gwerthu'r pysgod hyn yn fyw ac i'r diben hwnnw rhaid
eu cadw yn y môr. Rhoddir hwynt mewn 'cawell cadw', cawell
neu focs mawr a gedwir yn ddigon agos i'r lan fel y gellid dod
i'w gyrchu hyd yn oed pe byddai'n dywydd mawr i anfon y
cimychiaid i ffwrdd. Rhaid eu pacio yn ofalus mewn bocsiau
cryfion a haenau o wymon o'u cwmpas, a hoelio'r caeadau yn
dyn i'w lle. Bydd rhai o'r pysgotwyr hyn yn trin o ddeg ar
hugain i hanner cant o gewyll, ac yn treulio rhan helaeth o bob haf
mewn cwch. Dynion gwydn ag ôl haul a heli ar eu hwynebau
ydynt.

Ond mae'n bosibl pysgota mewn llawer ffordd heb fod angen
cwch a chewyll. Bydd y cewyllwyr eu hunain yn gosod rhwydi
tramel i ddal pysgod a chŵn môr i'w rhoi yn abwyd yn y cewyll
ond rhaid cael cwch i fynd â rhwyd fel hyn allan hefyd. Ceir lwc
ambell dro ar 'rwyd gŵn', rhwyd i'w gosod ar y traeth pan fo'r
llanw allan a'i hedrych ar drai ymhen deuddeng awr. Egwyddor
debyg sydd mewn gosod 'long lein', sef rhaff hir a bachau bob
rhyw ddeunaw modfedd arni wrth bytiau o lein bysgota.
Gwylio'r cyrc yn dod i'r golwg wrth i'r dŵr gilio a dychmygu
gweld clamp o bysgodyn ar bob bach, nes dechrau tynnu i'r lan
a phasio bach ar ôl bach gwag, ac yna weld swalp lleden fawr neu
bysgodyn gwyn yn torri'r dŵr, ac anghofio'r cwbwl am y bachau

gweigion wrth ddechrau meddwl beth fyddai pris pysgodyn felly
mewn siop. Rhaid bod yn weddol segur i wylio rhwyd neu long
lein, a bod o gwmpas i ofalu amdani pan fydd y trai yn rhedeg
allan. Ffordd fwy diofal o bysgota ydyw mynd i ddal gwrachen
oddi ar y graig gyda gwialen fambŵ a lein arni a lwgwn neu
granc yn abwyd. Mae pyllau gwrachod adnabyddus gyda'r
creigiau yn yr holl ardaloedd glan môr, a gŵyr y cyfarwydd
ymysg pobl y glannau am bob un ohonynt wrth eu henwau,—
Y Rhigol, Cerrig Defaid, Stôl William Sion. Yr un cynefindra
sydd yn peri bod y bobl yma yn medru cerdded ar drai o un
graig i'r llall a gwybod yn union ymhle mae tyllau crancod i'w
cael, a rhoi eu braich i mewn, at eu hysgwydd yn rhai ohonynt,
i gael cranc gwinglyd allan. Hela llawer mwy diniwed ydyw
mynd i ddal llymrïaid. Pysgod bach meinion fel llysywennod yn
byw yn y tywod ydyw'r llymrïaid, a'r ffordd i'w dal yn nhraeth
Penllech ydyw palu gyda min y dŵr ar drai pan fydd y wawr yn
torri. Un yn palu, a'r lleill yn barod i ruthro y funud y gwelir
llymrïen fel gwennol arian yn gwau drwy'r tywod ac yn di-
flannu os na ddaw llaw sydyn i gau amdani a'i chodi i'r bwced.
Weithiau bydd digonedd ohonynt i'w cael, a thro arall, dod yn
ôl heb ddim un ar ôl palu gerddi mawr o dywod gwlyb.

    O bob pysgota, crefftus a di-grefft yng nglan y môr, efallai
mai'r mwyaf cyffrous ohonynt i gyd ydyw tynnu rhwyd fawr.
Rhaid wrth drwydded arbennig i wneud hyn, ond ar ôl bodlon-
i'r gyfraith, gellir cael helfa ardderchog. Byddai'r hen bobl yn
mynd i'r môr at eu gyddfau i gario'r rhwyd, ond mynd allan
mewn cwch a'r rhwyd ar fwrdd y tu ôl iddo y bydd pobl heddiw.
Gwaith yn y nos ydyw, a phawb yn ddistaw ac yn dawel rhag
dychryn y pysgod fydd yn ymyl y lan. Pan fydd y cwch wedi
rhwyfo allan hyd y rhaff a ddelir gerfydd un pen gan un ar y lan,
rhoir plwc arni a bydd un o'r ddau yn y cwch yn dechrau bwrw'r
rhwyd ar hanner cylch mawr. Wedi cyrraedd hanner y rhwyd,
bydd y cychiwr yn troi a'i gwneud am y lan. Arlliw du o'r cwch
yn nesu at y traeth, ac yna sŵn ei gêl yn crafu'r graean a lleisiau
distaw yn siarad, a'r ddau griw bach, un ymhob pen, yn tynnu
ar y rhaff nes cael gafael ar y rhwyd, ac yna yn tynnu yn y rhwyd
ei hun. Ei thynnu law dros law i fyny i'r tywod, ac yna pan ddaw

39. Eglwys Llangwnnadl.

40. Porth Neigwl.

ei chanol i ddŵr tenau, eu clywed yn clepian ac yn swalpio, a'r
perchennog at ei hanner yn y môr y tu ôl iddi erbyn hyn yn galw
mewn sibrydiad uchel, 'Tynnwch hi'n glir o'r dŵr'. Helfa
gymysg fydd yn y rhwyd, o ambell bysgodyn mawr, main ei
drwyn, du ei gefn ac arian ei dor, hyd at hen ledod bach fawr fwy
na wyneb cwpan de, a fydd yn cael eu taflu yn ôl i'r môr a'u
cynghori i dyfu neu anfon aelod hŷn o'r teulu y tro nesaf. Bydd
yn amser cychwyn adref cyn i'r wawr dorri, a lleuad Awst yn
machlud yn goch dros y môr a'r tonnau yn disgleirio yn llwybr
yn ei golau.
    Ac yng nghanol yr holl bosibiliadau hyn, nad oes gan neb
ond pobl allan o waith amser i wneud eu hanner, bydd ambell
ddinaswr gwamal yn gofyn, 'Beth fyddwch chi yn gael i wneud
i basio'r amser mewn lle fel hyn deudwch?' O anwybodaeth!
    Ym mhen deheuol y traeth mae creigiau Porth Golmon.
Byddai llongau glo yn dod yma mor ddiweddar â blynyddoedd
dau ddegau'r ganrif hon, ac y mae peth o adeiladau'r warws a
fu yma gynt yn aros yn adfeilion o hyd. Byddai llawer o nwyddau
heblaw glo yn dod yn y llongau ers talwm.
    Llongau hwyliau bychain oeddynt, o ryw bedwar ugain i
gan tunnell, a'r criw yn ddim ond capten a mêt a hogyn. Yn yr
haf yn unig y gallent ddod i Borth Golmon, gan fod y gilfach yn
hollol ddigysgod rhag gwynt y gorllewin, a hyd yn oed yn yr
haf, os codai brisyn o'r môr, peth doeth fyddai tynnu allan i'r
môr ac angori o afael y creigiau. Cul oedd y llain tywod i'r
llong sefyll arno, a da i gapten dieithr fyddai cael help y 'peilot',
William Evans (Wil Llainfatw) â'i farf laes a'i gap pig gloyw, i
lywio'r llong i'r hafan.
    Un o'r llwythi cynharaf bob haf fyddai llestri pridd, yn
arbennig potiau cyfaddas at wneud "menyn pot" ar gyfer y
gaeaf, ac yr oedd galw mawr am y rhain yn y ffermydd o gwmpas.
Wedyn efallai llwyth o "lwch", sef giwana, ac yna yn gyson
lwythi o flawdiau i ddyn ac anifail a thunelli lawer o lo. Rhyw
fasnachwr lleol, fel Thomas Hughes, Plasmorfa, a fyddai'n trefnu
hyn i gyd, a byddai ganddo syniad go gywir pa bryd, ond cael
tywydd, i ddisgwyl y llong. Byddai wedi rhoi rhybudd i drigolion
y cylch, oherwydd byddai raid wrth help i ddadlwytho yn aml,

J

ac ni ellid fforddio bod yn ymarhous â'r gwaith rhag ofn i'r gwynt godi.

Y dull mwyaf cyntefig o ddadlwytho llong oedd mynd a throliau i lawr at ei hochr ar y tywod, ond ni ellid gwneud hynny ond ar y trai. Yn ddiweddarach adeiladwyd math o lwyfan o'r graig ar lefel dec y llong. Yn ddiweddarach wedyn gosodid weiar-rôp o'r tir i fast y llong a phwli yn rhedeg ar hydddi, a cheffyl yn troi mewn cylch wrth bolyn hir i dynnu'r llwyth fesul tipyn o grombil y llong i'r lan. Y cam olaf yn y mecaneiddio hwn oedd cael injian stem yn lle'r ceffyl, a'r anturiaeth seithug honno, Cymdeithas Amaethyddol Gydweithredol Llŷn, oedd yn gyfrifol am hynny. Parhaodd y fasnach dros fôr yn hwy yn Llŷn nag yn odid ran arall o'r wlad, oherwydd y pellter o'r stesion agosaf ym Mhwllheli, a phasiodd yr ardaloedd hyn yn syth o drafnidiaeth y llongau i drafnidiaeth y ffordd fawr foduredig. O Borth Golmon yma y cychwynnodd y tri brawd o Dirdyrys allan i bysgota un gyda'r nos ym mis Mehefin, 1933, a mynd i ormod o fôr a methu â dod yn ôl. Cofir y trychineb yn englyn R. W. Parry sydd ar garreg eu bedd ym mynwent Hebron. Ymddengys yr englyn ychydig yn wahanol yng *Ngherddi'r Gaeaf.*

> Y tri llanc ieuanc eon—sydd isod,
> Soddasant i'r eigion.
> Aethant ddifater weithion
> O bysg a therfysg a thon.

Ymlaen gyda glan y môr y mae llwybr yn rhedeg ar hyd pen yr allt i gyfeiriad Porth Tŷ Mawr a mân gilfachau tebyg lle gellir dod â chwch i'r lan. Ym Mhorth Tŷ Mawr y drylliwyd y 'Stuart' ar fore Sul y Pasg, 1901. Safai wedi ei chloi mewn creigiau ac yr oedd gobaith y ceid hi i nofio nes i storm godi o'r môr a'i throi ar ei hochr. Cargo cymysg oedd ynddi, ac yr oedd wedi cychwyn o Lerpwl am Awstralia ar ddydd Gwener. Credid i'r capten gamgymryd gyda golau Caernarfon a rhedeg i'r lan tra'n dal i ddisgwyl ei weld. Bu cario mawr ar bob mathau o nwyddau, dodrefn, llestri a diodydd o'r llong ac oddi ar y creigiau lle'r oedd y môr yn golchi o'i chwmpas gyda'r llanw. Mae

'llestri'r llong' ar y bwrdd amser cinio dydd Sul mewn llawer tŷ
yn Llŷn o hyd. Y wisgi oedd y demtasiwn fawr i lawer o bobl, a
chlywir o hyd am rai oedd wedi yfed cymaint ohono nes eu bod
yn cysgu a fflamau glas yn dod o'u cegau. Yn rhyfedd, yr oedd y
llong Americanaidd, y 'Sorrento', wedi mynd yn ddrylliau ym
Mhorth Tŷ Mawr un mlynedd ar ddeg ar hugain ynghynt yn
1870. Bydd y llongau mawr i'w gweld yn pasio ymhell allan yn
y môr o hyd, ond mae'r llongddrylliadau wedi mynd yn llawer
llai aml erbyn hyn. Ceir cyfrifon manwl o doll y môr yng
nghyfrolau hanes y llongau hwyliau.

I fyny o Borth Golmon heibio Tyddyn-Du a Moel-y-Berth,
mae'r ffordd yn gul ac yn droellog, a chloddiau uchel o boptu
iddi cyn cyrraedd capel y Methodistiaid ym Mhen-y-graig.
Draw ychydig lathenni heibio'r capel mae'r Siop a'r Post lle bu'r
fferyllydd enwog Owen Griffith yn byw. Yr oedd ganddo gyffur
cyfrinachol at dynnu a gwella'r Ddafad Wyllt, a bu cannoedd o
bobl o bob rhan o'r byd ato yn cael meddyginiaeth. Erys y
gyfrinach yn y teulu, a defnyddir hi o hyd gan nai Owen Griffith,
ond symudodd y teulu o Ben-y-graig erbyn hyn.

Dros Bont y Siop ac i fyny ac i lawr yr allt, a dod i gilfach
goediog lle mae'r hen ysgol a'r eglwys. Cludir plant yr ysgol
gynradd i Dudweiliog ers rhai blynyddoedd bellach o dan y
cynllun canoli, a symudwyd ysgol y plant bach i festri Pen-y-
graig, a defnyddir yr hen ysgol fel neuadd at wasanaeth yr eglwys.
Yma yr oedd Griffith Morris Williams, Ap Morus, yn ysgol-
feistr. Yr oedd yn ŵr nodweddiadol iawn o'i gyfnod, yn weithiwr
caled, a diddordeb ganddo mewn llenyddiaeth a cherddoriaeth.
Bu'n arweinydd poblogaidd mewn cyfarfodydd llenyddol a
chyngherddau, ac yr oedd yn fardd a chryn allu ganddo i ganu
yn ysgafn ar bynciau'r dydd. Casglodd nifer fawr o 'feddergryph'
ar gyfer traethawd Eisteddfod,—'Llenyddiaeth y Fynwent', a
chyhoeddodd lawer o ffrwyth ei ymchwil mewn cyfnodolion.
Dyma'r rhan mwy difrif o'i waith, ond fel diddorwr a chyng-
herddwr y cofir amdano gan amlaf yn Llŷn. Mae ei ferch, yn
wraig i feddyg, yn byw yn Nhŷ'r Ysgol o hyd ac yn dal i ganu
llawer o'r caneuon a gyfansoddwyd gan ei thad.

Ceidwadwr mawr ac eglwyswr selog oedd Ap Morus, a

gwnaeth lawer dros eglwys y plwyf sydd wrth ymyl yr ysgol. Hen eglwys ddiddorol ydyw gyda'i thair cangell. Ar dir Penprys ym mhlwyf Llannor, daethpwyd o hyd i garreg o'r chweched ganrif a'r enw Vendesetli arni, sef y ffurf Ladin ar yr enw Gwynhoedl, sefydlydd eglwys Llangwnnadl. Symudwyd y garreg, ac y mae yn Amgueddfa Ashmole yn Rhydychen erbyn hyn. Ar un o'r colofnau fe geir y geiriau, 'S Gwynhoedl iacet hic', ac ar y nesaf ati, 'Hic ecclesia edificata est in anno dni 1520'. Sut y mae cysoni hyn â'r garreg a gaed ym Mhenprys? Awgrym Ralegh Radford yn y *Trafodion* ydyw mai lleygwr, ac nid mynach na sant, oedd Gwynhoedl, sefydlydd yr eglwys, a ddarfod ei gladdu ym Mhenprys lle nad oes dim olion mynachaidd o gwbl, tua diwedd y chweched ganrif, sef cyfnod y garreg. Yn ddiweddarach fe symudwyd y gweddillion i eglwys Llangwnnadl. Yn ddiweddarach wedyn, sef yn 1520, fe godwyd yr eil ogleddol er anrhydedd i Wynhoedl, a chofnodi hynny ar y golofn, a chofnodi hefyd ar y golofn arall mai yno yr oedd ei fedd. Mae hyn i gyd yn esbonio pam y caed carreg fedd Gwynhoedl ym Mhenprys a hefyd yr ysgrif yn yr eglwys sy'n ymddangos yn anghyson.

Aeth hen gloch Llangwnnadl, cloch sgwâr anghyffredin iawn ar batrwm clychau Gwyddelig, i'r Amgueddfa yng Nghaerdydd ar ôl bod ym meddiant teulu Madrun. Er bod grisiau yn arwain i lawr i'r eglwys o'r llwybr at y drws, eto, mae'n un o'r eglwysi goleuaf gyda'i ffenestri mawr agored yn wynebu i dri chyfeiriad. Amheus ydyw gwerth pensaerniol y darnau concrit a godwyd yn ddiweddar o gwmpas yr allor, er eu bod yn lân ac yn eithaf taclus ynddynt eu hunain.

O ymyl yr eglwys, i fyny'r allt eto ac i'r ffordd fawr o Nefyn i Aberdaron ym Mhen Lon Plas. Gellid dilyn y ffordd ymlaen i gyfeiriad capel yr Annibynwyr yn Hebron, ond y mae ffordd fwy diddorol yn troi oddi arni i'r chwith ar ôl croesi'r bont, ac yn rhedeg trwy ardal o fân dyddynnod, patrwm anghyffredin yn Llŷn, i ardal a phentref Bryncroes. Dylid aros cyn cyrraedd y pentref a throi i weld Capel Tŷ Mawr, ychydig o'r neilltu ar y chwith. Dyma un o'r achosion Methodistaidd hynaf yn Llŷn, a sefydlwyd y Seiat yma tua 1748. Rhoddodd gwraig ieuanc o Fethodist fferm y Tŷ Mawr, oedd yn eiddo iddi, i Siarl Marc yn

1747, ac yn 1752 codwyd yno gapel bychan a thô gwellt iddo yn agos i'r lle mae'r capel presennol. Codwyd y capel sydd yma heddiw yn 1799, ac erys o hyd yn bur debyg i'r hyn ydoedd dros gant a thrigain o flynyddoedd yn ol, a'i furiau yn drwchus a'i ffenestri yn ddigon blêr ac anwastad. Yr oedd llofft iddo ar un cyfnod, ac y mae ôl ei safle a'r grisiau i fynd iddi ar un pared o hyd.

Siarl Marc ydyw'r enw pwysicaf a gysylltir â chapel Tŷ Mawr. Ganed ef yn 1720, ac yr oedd yn un o gynghorwyr amlycaf y Methodistiaid cynnar yn yr ardaloedd. Ar ôl diarddel John Griffith Ellis, Siarl Marc oedd yn gyfrifol am y seiadau, ac y mae pendantrwydd hoffus iawn yn ei adroddiadau i Howel Harris. Dywed am seiat Tŷ Mawr yn 1750.

'Ymrynycroys mae 17 o aelode ag o feibion, 8 o ferchaid mewn pethynas i ffudd Iesu Grist, nid unt ond gweiniaid, tri ne bedwar sudd yn credu bod Crist wedi marw drosdynt ond meddylia tynar sudd geni amdanynt gan mwya.'

Yr oedd Siarl Marc yn bregethwr grymus, ac y mae llawer o'i emynau ar gael o hyd. Y mae S.M. ar dudalen enwau Llyfr Emynau'r Methodistiaid yn cyfeirio at un o'i emynau, sef dau bennill olaf yr emyn 151, ond priodolir llawer o benillion iddo yn yr ardaloedd hyn, ac y mae'r rhan fwyaf o'r rhai hynny yn llawer mwy gwerinol a lliwgar eu harddull, megis,

> 'Rwyf yma yn y rhyfel
> Mewn llawer treial trwm.

a,

> Dysg im dewi megis Aaron
> Dan holl droion dyfnion Duw,
> A dywedyd megis Eli,
> 'Gwnaed a fyno, f'Arglwydd yw'.

Bu'n ddall am flynyddoedd yn niwedd ei oes, ond daliodd i bregethu o hyd a'r Beibl yn agored o'i flaen. Claddwyd ef ym mynwent eglwys Bryncroes, ac ar garreg ei fedd,

> Angau i gaerau gweryd—a'm gyrrodd
> O'm gerwin afiechyd;
> Cofiwch, llais Crist a'm cyfyd
> Ar ddydd barn, mawr ddiwedd byd.

Yn ôl Myrddin Fardd, aeth Mari Siarl, merch Siarl Marc i'r
America yn 1795. Yr oedd wedi etifeddu llawer o ddawn pryd-
yddu ei thad a chanodd gân ar yr achlysur i geisio denu ei chy-
feillion i'w dilyn, ac addo iddynt,

> Cawn forio'n ddiddig fôr Atlantic,
> 'Does beryg yn y byd.

Mab i frawd iddi oedd y Lewis Siarl oedd dipyn bach yn ddiniwed
ac yn arfer aflonyddu ar y gwasanaeth yn y capel. Ceryddodd ei
dad ef unwaith, a chyfansoddodd yntau ei bennill i'w ateb,

> Gruffydd Salmon yn Nhy Mawr
>   Yn pregethu,
> Yn peri i'r bobol ar y llawr
>   Beidio pechu;
> Minnau sydd yn cadw nad
>   Ar y grisiau,
> Ac yn achwyn ar fy nhad
>   Wrth y dyrfa.

Ond mab i Mari Siarl, Ieuan Lleyn, oedd yr enwocaf o'r
teulu. Richard Tomos Evan oedd enw ei dad, ac yn gyson ag
arfer ei oes, Evan Pritchard oedd ei enw yntau. Bu'n cadw ysgol
ym Mryncroes am flynyddoedd, a barddoni a llenydda a mynd i'r
Sarn i yfed cwrw. Ar ôl i'w rieni fynd i'r America bu Ieuan yn
byw gyda'i daid yn Nhŷ Mawr, ac efallai i'r hen ŵr ddylanwadu
ar ei ŵyr i'w wneud yn fardd, er na ddylanwadodd arno i'w
wneud yn ddirwestwr mawr. Ond beth bynnag oedd hanes ei
foes, gadawodd Bardd Bryncroes rai llinellau cofiadwy ar ei ôl.
Bu'n cystadlu llawer ac yr oedd yn eisteddfodwr selog. Mae
dyfnder profiad a mawredd mynegiant yn ei emyn,

> Tosturi dwyfol fawr
>   At lwch y llawr fu'n bod,
> Pan gymerth Duw achubiaeth dyn
>   A'i glymu'n un a'i glod.

Bu farw Ieuan Lleyn yn 1832, ac y mae dau englyn ar garreg ei
fedd, ym mynwent Bryncroes, un gan Ellis Owen, a'r un a ganlyn
gan Owain Lleyn,

Rhag awr ein dirfawr derfyn—er y byd
   Nid arbedir undyn:
   Gwely bardd yw gwael briddyn,
   O fewn llwch mae Ifan Lleyn.

Bu Goleufryn yn weinidog yma o 1869 hyd 1873. Symudodd oddi yma i Lanrwst.

Yn Nhrygarn, hen gartref enwog heb fod ymhell o Fryn-croes y ganed Moses Griffith yn 1747. Daeth Pennant ar ei draws yn ystod un o'i deithiau, a sylwodd ar ei allu i arlunio, a bu Moses Griffith yn gydymaith ac arlunydd i'r crwydrwr mawr hwnnw am flynyddoedd lawer. Mae llawer o ddarluniau lliw a darluniau du a gwyn gan Moses Griffith ar gael yng nghasgliadau'r Llyfrgell Genedlaethol a'r Amgueddfa. Cafwyd darlun o'i eiddo o hen ysgol Botwnnog i'r Llyfrgell yn gymharol ddiweddar.

Mae'r bythynnod gyferbyn â phorth yr eglwys wedi eu diweddaru a'u tacluso i'w gwneud yn un tŷ. Yma, yn 1802 y ganed Gwilym Lleyn, awdur llafurus *Llyfryddiaeth y Cymry*. Eglwys i Fair ydyw eglwys Bryncroes ac y mae ffynnon yr ochr arall i'r ffordd a chlawdd cerrig llydan o'i chwmpas. Dichon i'r ardal fod yn fan gorffwys i'r pererinion a fyddai yn mynd i Enlli ac yn falch o gael seibiant ar y ffordd. Ymlaen o gilfach y pentref rhed ffordd gul heibio capel yr Annibynwyr i fyny ochr Mynydd y Rhiw. Ar y dde mae fferm Bodgaeaf Uchaf, lle'r oedd y Dr. Iorwerth Peate yn aros ar ei wyliau yn 1933, a lle clywodd ferch yn canu ar y ffordd i'r Sarn gyda'r nos. Ac aeth yntau yn un o'r beirdd a fabwysiadodd ddarn o ddaear Llŷn i ganu iddi.

Mae llawer o olion hen fywyd ar ochr y Rhiw o gwmpas y Castell, a thai a mân dyddynnod eraill. Cafwyd hyd i olion mynwent gynnar ar dir Coch-y-moel, ac y mae enwau llawer o'r ffermydd a'r tai yn awgrymu sefydliad cynnar. Yr oedd rhai o aeloddau'r Comisiwn Adeiladau Hynafol wedi sylwi ar ffurfiau crynion yn uchel ar y mynydd, ac wedi meddwl eu bod yn rhy fawr i fod yn gytiau Gwyddelod. Daeth gwŷr profiadol yno i gloddio a darganfod mai olion hen chwarel o oes y cerrig oedd yno. Daethant o hyd i'r fan lle'r oedd yr hen wneuthurwyr arfau wedi bod yn dilyn yr wythien o graig galed, ac yn y rwbel oedd o gwmpas yr oedd digonedd o gerrig wedi dechrau cael eu torri

a'u naddu i wneud bwyall, ond wedi torri wrth eu mympwy a
chael eu lluchio o'r neilltu. Credai'r archwilwyr y gallai'r
chwarel fod wedi bod yn gyrchfan helwyr Oes y Cerrig o ffordd
bell iawn ac y gallent fod wedi bod am fisoedd lawer ar daith o
ganolbarth Lloegr. Mae'r olygfa oddi ar ochr y Rhiw yn ymyl
yr hen chwarel yn un o'r rhai mwyaf mawreddog. Mae rhediad
y mynydd i'r gogledd yn weddol syth, ac islaw y mae pentrefi
Botwnnog a'r Sarn, a phatrwm ffermydd glannau'r afon Soch
fel cwilt clytiau i lawr i wastadedd Porth Neigwl. Ymlaen ychydig
ar hyd y ffordd dros ysgwydd y mynydd, a daw Porth Neigwl
ei hun i'r golwg, ac mae'n hawdd iawn gweld ystyr yr enw
Saesneg wrth edrych ar afonydd y teitiau yn cordeddu trwyddo.

Ar y ffordd hon y mae eglwys y Rhiw, ac ymlaen wedyn y
mae'r pentref. Ysgol a neuadd newydd a dau gapel ydyw adeiladau
amlycaf yr ychydig bentref sydd yma, ac awyrgylch gwahanol
iawn i bentrefi'r gwastadeddau. Pentref mynydd ydyw'r Rhiw,
er ei fod yn Llŷn. Cerrig a chreigiau mynydd sydd o'i gwmpas,
byrwellt y mynydd sydd ar ei ychydig gloddiau pridd, ac i'w
orffen, gwaith carreg manganîs wedi twnelu ei hun yn lefelau i
ganol y mynydd, a thomen ei rwbel yn llithrigfa ddu ar y llethrau.
Bu mynd mawr ar y gwaith yn ystod dau ryfel y ganrif hon.
Cludid y cerrig i ffwrdd mewn llongau a ddeuai i Borth Ysgo yn
ystod y rhyfel cyntaf, a'r ail waith mewn loriau ar y ffyrdd.

Yn y coed ar y dde, ar waelod yr Allt Fawr sy'n mynd i lawr
o Borth Neigwl, mae Plas-yn-rhiw, sydd wedi ei gyflwyno i'r
Ymddiriedaeth Genedlaethol gan ei berchenogion, y Misses
Keating. Hen dŷ o'r ail ganrif ar bymtheg ydyw, wedi bod yn
gartref teulu o Lewisiaid am gyfnod, ac erbyn hyn wedi ei at-
gyweirio a'i adfer i'r hyn ydoedd pan oedd yn wahanol ei fri
ddau gan mlynedd yn ôl. Mae'n llecyn dymunol uwchben Porth
Neigwl, a charpedi o eirlysiau o dan y coed gyda'r llwybrau yn
nechrau'r Gwanwyn. Trwy gwrteisi'r perchenogion, mae'r tŷ
yn agored i'r cyhoedd o dri hyd bump ar ddydd Iau a dydd
Sadwrn.

Gŵr gwahanol iawn o ran ei amgylchiadau i ddeiliaid
bonheddig Plas-yn-rhiw oedd Morgan Griffith a ddaeth i fyw, ar
ôl priodi, i Fwlch y Rhiw lle bu'n dilyn ei waith fel saer maen a

gwneuthurwr gograu. Adnabyddid ef fel Morgan y Gogrwr, a bu'n ddylanwad mawr i ledaenu Methodistiaeth gynnar yn Llŷn. Bu'n wrthrych sylw yr erlidiwr o glochydd oedd yn Llannor a gyfansoddodd Anterliwd Morgan y Gogrwr. Am ei waith yn pregethu a dysgu yn Llŷn, dygwyd ef o flaen y llys ym Mhwllheli. Yr oedd wedi colli ei wraig ac yr oedd y ddau blentyn bach yn ei ofal. Cariodd ewythr iddo y plant mewn cewyll i Bwllheli ar feddwl ennyn cydymdeimlad y llys. Ond darganfu'r llys fod y plant yn medru darllen, ac aeth hynny yn dystiolaeth bellach yn erbyn y tad. Dedfrydwyd ef a rhai eraill i garchar, ac ar eu ffordd yng Nghonwy, pregethodd Morgan Griffith i dyrfa oedd wedi casglu i weld y carcharorion, ar y testun, 'O achos gobaith Israel y'm rhwymwyd i â'r gadwyn hon.'

Yn y Rhiw y ganed John Griffith, ysgolfeistr Dolgellau o 1904 hyd 1923. Mab i Siôn Griffith, Pen-y-groes, a Martha Griffith, Pen Nebo, ydoedd, ac yr oedd yn ŵr amryddawn iawn, yn gerddor da, yn ysgolor clasurol, yn wyddonydd a daearegwr. Ysgrifennodd ei fab, Llewelyn Wyn Griffith am hen gysylltiadau ei deulu yn y Rhiw, a cheir ardal enedigol ei dad yn gefndir peth o'i waith. Aeth un arall o feibion athrylithgar y Rhiw, Mr. William Rowland, yn brifathro Ysgol Ramadeg Porthmadog, a bu llawer athro Cymraeg yn ddyledus iddo am ei werslyfrau a'i lyfrau hanes.

Gellir dod i lawr o'r Rhiw heibio'r capel Wesle a'r hen waith manganîs, un o boptu'r ffordd ar yr allt cyn cyrraedd Tŷ Croes Bach. Mae Beibl sment yn nhalcen y capel, ac y mae gweddillion lle byddid yn llwytho'r lorïau a cheg lefel yn wyneb y tip rwbel gyferbyn. Trwy ffordd gul heibio Bodwyddog Fawr ar y chwith, ac ym min hwyr ar ôl noswyl, gellid taro ar y ffermwr o gwmpas ei dir a chael sgwrs ddiddorol a ffraeth a ddylai fod yn ateb i'r bobl hynny sydd am fynnu nad oes cymeriadau i'w cael yng nghefn gwlad erbyn heddiw. Rhaid wrth gymeriad go arbennig i fod wedi dysgu'r iaith a siaredir, meddai ef, gan y brain yng nghoed Meillionydd a choed Bodwrdda, ac a fyddai yn fodlon, ar ôl peth perswâd, i'w hadrodd, heb fawr o wên ar ei wyneb ond â gwên fawr yn ei lygaid. 'Iaith wneud' ydyw Iaith y Brain, ac enghraifft ddiddorol o hen ysfa sydd mewn llên gwerin i ddynwared

swn iaith. Neu efallai mai plwc atgofus a ddeuai heibio, a chofio
am ambell gymeriad fel yr hen wraig honno oedd wedi bod yn
ddiwyd yn casglu'r rhent fesul tair ceiniog a chwech, a diwrnod
y talu, yn mynd â'r arian fel yr oeddynt yn ei ffedog i dŷ'r meistr
tir, a'u lluchio ar lawr o gwmpas ei draed a dweud wrtho. "Mi
g'es i ddigon o drafferth i hel nhw, hel ditha nhw rŵan." A
gorffen y sgwrs trwy resynu a gofidio,—'Does yna ddim hen
gymeriadau heddiw fel fyddai ers talwm.' Tybed?

    Ar ôl dod heibio croesffordd Meillionydd Bach, rhed y ffordd
ar hytraws y mynydd heibio Meillionydd Fawr, hen gartref
enwog arall a fu'n stad fechan ddigon prysur yn ei dydd, ac un
o'i pherchenogion yn ddigon o ŵr bonheddig i fedru gadael swm
o arian yn ei ewyllys at godi ysgol ramadeg ym Mhwllheli.
Mae'n werth dringo ochr y mynydd y tu uchaf i Feillionydd ar
ddiwrnod braf i weld gwastadedd y Gogledd o Nefyn i Aber-
daron. Ardal ddiddorol Rhoshirwaun sydd yn gorwedd ar y
gwastadedd rhwng Meillionydd a'r môr, a gellir mynd yno naill
ai o'r groesffordd cyn cyrraedd y fferm, neu ar hyd y ffordd fawr
o Ben Groeslon ychydig yn nes ymlaen. Bu'r Tocia yn lle prysur
a phwysig yn nechrau'r ganrif pan oedd y goets fawr yn rhedeg
oddi yno i Bwllheli bob dydd. Yr oedd yn y Rhos gân boblo-
gaidd i'r goets o waith Gwilym y Rhos wedi ei chyfansoddi yn
1881,

> Pob un sydd am drafaelio,
> Cydnesed yma i wrando,
>   Caiff gennyf fi yn hyn o gân
> Ddarluniad glân a chryno.
>
> O'r goach sydd yn y Tociau
> Yn rhedeg ers blynyddau
>   Gan Griffith Jones a'i frawd, sef Tom,
> Heb siom bob hwyr a borau.
>
> Cychwynna hon yn brydlon
> Y borau o blwy Daron,
>   Drwy Sarn Mellteyrn iseldir glas
> Gan adael Plas Nanhoron . . . .

Ffordd y canolbarth oedd ffordd coets y Tocia. Rhedai coets Tir Gwenith o Langwnnadl trwy Edern a Nefyn, ac yr oedd iddi hithau ei chân,

> Mae'n mynd o Dir Gwenith goits newydd medd rhai
> A phedair o olwynion o dani yn troi,
> A phedwar ceffylau sef un at bob un—
> Mae'n debyg y trechith holl goitsus gwlad Llŷn.
> Mae hon fel y trên, mae hon fel y trên,
> Tae angen am frysio hi basiai y trên . . .

ac ymlaen i ddisgrifio'r daith i Bwllheli.

Er nad oes golygfeydd mawr nac adeiladau gwychion na gwŷr enwog y genedl i sôn amdanynt yn Rhoshirwaun, eto mae'n werth aros yma. Nid oes fawr o goed yn y plwyfi hyn— mae'r wlad yn mynd yn llymach llymach wrth nesu at greigiau Aberdaron—a dywedid am hen blwyf Bodferin nad oedd na siop na choeden nac eglwys ynddo, gan i'r eglwys gael ei chodi dros y ffin ym mhlwyf Aberdaron. Ond y mae yn y Rhos gefndir o ddiwylliant diddorol ac anghyffredin. Bu diddordeb byw yn yr ardal mewn llenyddiaeth a barddoniaeth am flynyddoedd lawer, a bu mwy o farddoni ymysg y gymdeithas yma nac mewn unrhyw ardal arall yn Llŷn. Yr oedd i'r diwylliant ei ganolfannau, fel Tŷ'r Crydd, a Bugeilys, a'r Eisteddfod. Cynhelir yr eisteddfod o hyd, ac olrheinir ei hanes yn ôl i hen gyfarfod diddorol Eistedd-fod Hyd y Gannwyll a gynhelid yn un o sguboriau'r ardal. Y drefn oedd mai tra parhâi'r gannwyll yn olau y parhâi'r eisteddfod, ac o ganlyniad byddai'r cyfarfod yn hwy ar noson dawel pan fyddai'r gannwyll yn llosgi'n lân, nag ar noson wyntog pan fyddai drafftiau yn y sgubor yn peri iddi redeg a chynnau yn gynt o lawer. Mae llawer o lawysgrifau diddorol y cryddion yn Nhŷ'n Pwll, Rhoshirwaun, o hyd, a chroeso i'r sawl a fyn eu darllen, ond dim caniatâd i fenthyca o dan unrhyw amgylchiadau. Ac o ganlyniad mae'r llyfrau ar gael o hyd.

Gwaith diddorol ydyw dod ar draws rhai o ganeuon Beirdd y Rhos. Ceir digon o feirdd gwlad yma ac acw, ond arbenig-rwydd yr ardal hon yw'r gymdeithas farddol. Mae llawer o ganu holi ac ateb yma, a llawer iawn o ganeuon am droeon trwstan.

Collwyd mochyn bach o Garreg Plas unwaith a bu chwilio amdano. Yn fuan, yr oedd y gân i'r mochyn yn adnabyddus,

> Digwyddodd tro go hynod
> A barodd imi syndod,
>   Yng Ngharreg Plas digwyddodd hyn—
> Dwyn mochyn un o'r hychod.

> Ei oedran oedd chwech wythnos,
> Sef mis ac un pythefnos,
>   Pan ddygwyd ef er gwaetha'r drefn
> Ryw awr tu cefn i'r cyfnos. . . . .

Disgrifir y chwilio mawr am y mochyn, a chael dau 'geisbwl' ar archiad y sgweiar. Chwilio yn y Rhiw, a'r holl ardaloedd o gwmpas.

> Chwiliasant dai Angelog,
> A chytiau moch godidog,
>   Er hynny oll ond methu'n lân
> Cael Siôn na Siân yn euog.

Ac i ddiweddu'r gân, awgrym clir iawn yng nghyngor y bardd,

> Ond hyn ddywedaf eto
> Fel awgrym wrth fynd heibio,
>   Pwy bynnag sydd am gadw hwch,
> Gofalwch am ei bwydo.

> Ei chadw'n iach a glanwedd,
> Yn glir a glendid dannedd,
>   A rhoddi ar ei cheg hi ddôr
> Yw'r cyngor yn y diwedd.

Mae llawer o gyfeiriadau at ddigwyddiadau pwysig yn yr ardal yn y caneuon hyn. Er bod llawer ohonynt yn dywyll eu hystyr eto erys tinc clir o'u cefndir ynddynt, ac y mae ynddynt atgof am bobl fel Syr Tom Tell Truth. Caneuon i'w hardaloedd a'u cynefin oeddynt ac o ganlyniad, esmwyth eu rhediad a rhugl eu hodlau. Dosbarth arall o ganu y ceir cryn swm ohono ydyw'r canu talcen slip, bwriadol ac anfwriadol. O awyrgylch gocosaidd y disgrifiad hwn,

Afon fawr 'di'r afon Daron
'Tasa hi'n rhedeg ar ei hunion,
Ac i'r môr mae'n rhoddi llam,—
On'd dydi'n biti 'i bod hi'n gam.

deuir at bethau fel y pennill a ganlyn y dywedir yn ei deitl ei
gyfansoddi i'w roddi ar garreg fedd, a nodiad pellach yn dilyn i
ddweud,—'ond tebygol na roddwyd y pennill ar fedd 'r hen
gyfaill'.

Yma mae'n gorwedd
    Un Guto o'r Rhiw;
Tywarchen sydd arno
    Na chwyd yn ei fyw:
Os caiff o drugaredd,
    Peth rhyfedd sy'n bod,
Ni wnaeth o drugaredd
    Ag undyn erioed.

Cân arall yn yr un dosbarth gan Richard Owen o Fryn Badell yn
dweud ei helynt wrth lyfnu,

Mi fûm yn llyfnu efo og tsiaen,
A mul yn ei thynnu hi'n ôl ag ymlaen.

Mi 'roedd o yn gweithio yn hynod o glên,
A phawb oedd yn synnu ac yntau mor hen.

Mi rusiodd gan Richard wrth weld y gath wen,
Ni roes o ddim llawer o bwys ar ei ben.

Mi ddalis y ngafael, 'nad o'n i yn sionc,
Ni roth o ddim mwy nag un neu ddwy sbonc.

Ni ches i ddim cyfle i godi'r un clap,
Mi rydw i yn coelio y cawsai hi slap.

Mae'r caneuon ar adeg etholiad yn boblogaidd iawn hefyd, a
Richard Owen eto yn barod iawn i ddangos ei ochr,

Mae llawer o weiddi mewn tref ac mewn gwlad,
Na chlywodd fy nghlustiau erioed y fath nad.
O gwmpas Syr Watgin 'roedd tyrfa ddi-rôl,
Mae'n gwilydd i'r ffyliaid eu gweled mor ffôl . . .

Pob parch fo i Pennant os cafodd o wawd,
Hyn ydi 'nymuniad er 'mod i yn glawd,—
Ddeg sofren o'i roddion heb ddirmyg na gwawd,
Gostyngodd hen renti a maddau hen res,
Wel dyma i chi hanes boneddwr wnaeth les.

Mae swm mawr o ganu disgrifiadol, â llai o afael ynddo, a
llawer mwy o ymdrech i ddynwared ystrydebedd ei gyfnod o'i
gwmpas, ond weithiau y mae yma ganu da, fel englyn John Owen
Brychdir i'r Pregethwr,

Gwr annwyl y gwirionedd,—a doethawr
Cymdeithas tangnefedd,
Yng nghôl hwn efengyl hedd
Goronir â gwawr rhinwedd.

Neu englyn Gwilym y Rhos i'r Cysgod,

Eilun ffug a'i lom hugan—a'm daliodd
I'm dilyn i bobman,
Cofus fodd ond cefais fan
I ymadael â'r mudan.

Wrth barchu a gwerthfawrogi beirniadaeth goeth, efallai fod lle
yn y patrwm llenyddol yn rhywle i ardal fel ardal y Rhos a'i
llawnder o rigymwyr, a phrydyddion, a beirdd. Beth bynnag
sydd i gyfrif, pa un ai grym y traddodiad y tu ôl iddynt ai eu
diddordeb cynhenid hwy eu hunain, mae amryw byd o feirdd
yn y Rhos o hyd, a mwy o werthu ar lyfrau Cymraeg, a mwy o
ddarllen nag mewn unrhyw ardal gyffelyb. Hwyrach y daw rhyw
gymwynaswr heibio ryw ddiwrnod i hamddena uwchben
llenyddiaeth yr ardal a'i diogelu.

Mae yn Rhoshirwaun amryw o olion hynafiaethol, ond y
pwysicaf ohonynt mae'n debyg ydyw yr olion o Gastell Odo ar
fynydd yr Ystum lle bu cloddio diweddar. Mae chwedl leol am
gawg a'i lond o aur wrth droed y mynydd, a storm fawr o fellt a

tharanau o gwmpas y sawl a ddaw o hyd iddo. I lawr heibio'r ysgol, a deuir allan wrth eglwys Bodferin,—eglwys fach ddiweddar a dim ond gwasanaeth achlysurol ynddi erbyn hyn. Ymlaen ar y ffordd yma, heibio capel y Methodistiaid yn Rhydlios, mae Methlan, lle ganed y Piwritan Henry Maurice yn 1634. Crwydrodd y pregethwr hwn ymhell o Lŷn i Much Wenlock yn Lloegr, ond dychwelodd ar daith bregethu yn 1672, medd Dr. Thomas Richards, a phan oedd yn ôl o gwmpas ei ardal enedigol, aeth i weld rhai o gefnogwyr ei ddull o grefydda. Bu'n ymweld â Richard Edwards, sgweiar Nanhoron, ac â phiwritaniaid enwog eraill. Yr oedd Henry Maurice yn gymeriad lliwgar, a bu'n troi a throsi rhwng anghydffurfiaeth ac Eglwys Loegr am amser cyn troi yn derfynol yn bregethwr Anghydffurfiol yn 1762. Bu farw yn ddyn ieuanc wyth a deugain oed.

Mor wir ag y gadewir ffyrdd mawr canol y Penrhyn a mynd i grwydro i'r ffyrdd croesion, mae tynfa'r môr i'w chlywed. Mae ffordd o Langwnnadl yn cyrraedd Methlan gyda'r glannau ac yn mynd ymlaen i gyfeiriad un o'r traethau adnabyddus ym Mhorthoer. Traeth bach neilltuedig Porth Iago ydyw'r agosaf ato o ochr y gogledd, ond mae Porthoer yn haws mynd iddo er nad yw mor dawel, Traeth enwog tywod chwibanu y Saeson ydyw Porthoer, a'i sŵn main, uchel wrth gerdded arno pan fydd yn boeth yn yr haf wedi rhoi yr enw iddo. Tywod gwyn, glân ac arbennig o fân ydyw tywod Porthoer, a thraeth diogel a dŵr tenau am bellter ffordd.

Ardal wahanol iawn i Rydlios ydyw Penycaerau, sydd yr ochr arall i'r ffordd fawr sy'n rhedeg trwy Roshirwaun. Rhyw drawsgyweiriad rhwng y Rhiw ac Aberdaron ydyw, a'i rhannau uchaf yn greigiog a'r ddaear yn denau, a'r rhannau isaf yn fwy graenus a gwell croen ar ei cherrig. Yn y siop sydd ar y groesffordd wrth ddod i fyny o Roshirwaun y mae cartref Owen Griffith, olynydd yr Owen Griffith o Ben-y-graig,—dyn y Ddafad Wyllt. Cadwodd yr Owen Griffith yma y gyfrinach fel ei ewythr, heb ddim mwy na dweud wrth y chwilfrydig bod y cyffur yn tyfu o dan draed pawb.

Mae lled y tir o fôr i fôr yn culhau o hyd, ac erbyn hyn, yn lle'r wlad sydd o Nefyn i Abersoch, nid oes ond ardal neu ddwy o Borthoer i Borth Ysgo. Saif eglwys Llanfaelrhys ar lecyn agored unig uwchben clogwyni gallt y môr lle mae cilfachau dyfnion yn y creigiau a llwybrau syth yn mynd i lawr iddynt.

I lawr i gyfeiriad Aberdaron, mae'r ffordd yn agored ac yn ysgafn. Mae hen blasty Bodwrdda yn y coed ar y dde ar lan yr afon, a'r felin a'r ffatri a'r pandy yn sefyll o hyd. Bywyd hunangynhaliol iawn oedd bywyd yr hen blastai hyn. Daeth teulu Bodwrdda, fel llawer o deuluoedd eraill Llŷn i amlygrwydd yn yr unfed ganrif ar bymtheg. Teulu o Wyniaid oeddynt, a'r Hugh Gwyn oedd yn siryf yn 1505 oedd y cyntaf i ddefnyddio Bodwrda (sef hen ffurf y gair) fel cyfenw. Yr oedd brawd ei wraig, Owen Gwyn, o deulu Gwydir, yn bennaeth Coleg Sant Ioan yng Nghaergrawnt, a bu tri o ddeuddeg plentyn Hugh Gwynn yno. Yr enwocaf, a'r pwysicaf efallai, o'r teulu oedd Griffith, a aned yn 1621 ac a briododd ferch Cefnamwlch. Aeth yntau i Gaergrawnt ond dewisodd fyw ym miri Llundain yn hytrach na mynd yn offeiriad fel llawer tebyg iddo. Yr oedd yn cynrychioli Biwmares yn Senedd Cromwell ac yn senedd ei fab, a phan adferwyd y frenhiniaeth, yr oedd yn un o'r rhai a aeth i Baris i hebrwng Siarl II yn ôl i Lundain. Bu ganddo amryw o swyddi proffidiol o dan y llywodraeth yn Llundain ac yn Nulyn. Yn Nulyn y bu farw yn 1679. Mae llawer o eco o helyntion oes y Rhyfel Cartrefol a newid llywodraeth Lloegr yng ngwaith y Gruffudd Bodwrdda oedd yn canu'r englynion i'r Gwyddelod a ddaeth drosodd yn 1643 i gynorthwyo'r brenin yn erbyn y Senedd,

> I'r Gwyddil cynnil a'u cêr—a'u dillad
> Dehellwch yr amser
> Anrheg gwartheg yn eu gwêr,
> A mwtwn oedd y mater.

Mae rhan ganol y tŷ ym Modwrdda yn hen, a chryn lawer o urddas y gorffennol o'i gwmpas o hyd, ac y mae croeso'r teulu i ddieithriaid yn y traddodiad fel y profodd llaweroedd o bobl a fu yno ar daith neu wrth eu gwaith. Mae llawer o awyrgylch hynafol ym mhanelau derw a ffenestri bwaog 'y neuodd', ac yn y cerrig gleision glân sydd ar lawr y cyntedd.

Erbyn hyn mae'r Penrhyn yn gul iawn, a chyn dod i lawr i'r

41. Y Rhiw.

43. Eglwys Aberdaron.

42. Cneifio Defaid y Rhiw.

gwastadedd ar ôl gadael llidiard Bodwrdda, ceir cip ar y tir, o fôr y gogledd i fôr y de. Ar hyd y ffordd syth i gyfeiriad bryn neu ddau ar y gorwel, ac yna i lawr rhiw lle mae'r tir yn colli yn sydyn, a dyma bentref Aberdaron ar lan y môr. Rhed y ffordd gyda mur isel y fynwent ar y llethr syth ac i'r traeth wrth borth yr eglwys. Mae porth eglwys Aberdaron yn Normanaidd, ac yn un o'r pethau hynaf yn Llŷn. Y mae'n debyg mai fel hyn yr oedd yn 1115 pan ddaeth Gruffudd ap Rhys, tywysog Deheubarth, yno i geisio seintwar ar ôl i'w dad-yng-nghyfraith, Gruffudd ap Cynan, tywysog Gwynedd, wrthod ei noddi a cheisio cael gafael arno i'w ddraddodi i'r Saeson. Cafodd nawdd gan y mynaich ac wedyn dihangodd yn ôl i Ddeheubarth. Gwenllian, merch Gruffudd ap Cynan, oedd ei wraig. Yn 1136 arweiniodd hi fyddin yn erbyn Saeson Cydweli a lladdwyd hi yn y frwydr. Gelwir y lle yn Faes Gwenllian hyd heddiw. Dyna hen eglwys y plwyf, a adawyd am ychydig pan godwyd eglwys newydd yr ochr uchaf i'r pentref am fod y môr yn bwyta'r tir ac yn peryglu'r hen adeilad. Ond buan y blinodd y plwyfolion ar adeilad coegfalch yr eglwys newydd ac y daethant yn ôl i'r hen un ar lan y môr, a chodi gwrthglawdd o gerrig ithfaen i wrthsefyll pwys y tonnau a lluchio môr y gaeaf. Hywyn ydyw nawddsant yr eglwys, a sefydlwyd hi yn ystod y gweithgarwch mawr yn y bumed a'r chweched ganrif. Bu cysylltiad agos rhyngddi a'r abaty yn Enlli, a diau iddi fod yn ganolfan go bwysig yng nghyfnod poblogrwydd y bererindod.

Mae'r rhan fwyaf o'r pentref yn y gilfach wrth fin y traeth, a'r ffordd fawr yn troi yn dywod ym Mhen yr Odyn. Bydd yn llawn yma ym misoedd yr haf, ond er y bydd yma Saesneg mawr yn llifo allan yn rhaeadrau trwy ddrysau agored y bythynnod, eto ni foddir y gymdeithas gynhenid yn llwyr, ac os yw y 'llanw Seisnig' yma y clywir cymaint o sôn amdano yn dal i godi, mae pobl Aberdaron yn nofio hyd yma. Mae llawer o'r bobl ddieithr yn edrych wrth eu bodd hyd y pentref, rhai â brown mis o liw haul ar eu cefnau, eraill heb golli cochni ffyrnig y ddeuddydd cyntaf, ac ambell un gwyn heb ddechrau crasu.

Heddwch y gellid dychmygu ei fod yn beth i'w ddal ar gledr llaw a'i gario ymaith ydyw heddwch Aberdaron. Rhwydodd

laweroedd o feirdd i fabwysiadu'r ardal ac i ganu ei chlodydd ac
i wau eu profiadau eu hunain yn rhan o batrwm ei phrydferthwch.
Am Aberdaron yr hiraethodd Cynan pan oedd yn chwilio am

> .   .   .   fwthyn unig
> Heb ddim o flaen ei ddôr
> Ond creigiau Aberdaron
> A thonnau gwyllt y môr.

Oddi yma y dychmygodd T. Rowland Hughes ei hun yn artist
yn tynnu llun,

> Rhyfeddod y machlud dros benrhyn Llŷn;

> Uwchmynydd a'i graig yn borffor fin nos
> A bae Aberdaron yn aur a rhos.

> Dan Drwyn-y-Penrhyn, a'r wylan a'i chri
> Yn troelli uwchben, mi eisteddwn i

> Nosweithiau hirion nes llithio pob lliw
> O Greigiau Gwylan a'r tonnau a'r rhiw . . .

Yma y gwelodd Crwys 'wŷr y dreflan' yn 'casglu broc y môr'.
Bu dylanwad yr ardal yn drwm ar lawer o feirdd eraill fel Gwilym
R. Jones a G. J. Roberts. Pontiodd Syr Thomas Parry-Williams
y bwlch sydd rhwng doe a heddiw Aberdaron gyda'i gân enwog
i'r 'doethur Dic', a'i chyngor,

> Parchwn ei goffadwriaeth oll ac un.
> Mawrygwn yr ieithmon a'r cathmon hwn o Lŷn.

> Os ffolodd ar fodio geiriadur a mwytho cath,
> Chwarae-teg i Dic—nid yw pawb yn gwirioni'r un fath.

Claddwyd yr ieithmon ym mynwent eglwys Llanelwy yn 1843·
    Crwydrodd amryw o blant y dreflan ymhell, ac y mae eu
henwau yn adnabyddus. Efallai fod Aberdaron yn gymaint o
gartref mebyd i Osian Ellis ag unrhyw le. Ni welodd ei dad
unman i'w gymharu ag Aberdaron, ac ni fyddai'r pentre yn
gyflawn ym mis Awst heb y gweinidog ar ei wyliau. Gweinidog

arall o Aberdaron a mab enwog ganddo oedd y Parch. James Jones, Croes-y-waun, tad y meddyg o Gymro sydd â lle mor gynnes i Lŷn, ac yn arbennig i Aberdaron, yn ei galon, y Dr. Emyr Wyn Jones, Llansannan a Lerpwl. Cydiodd hud ei gefndir yn dynn ynddo, a gellir bod yn weddol sicr y bydd Ynysoedd y Gwylanod a Phen Parwyd a'r Wig a glendid awyr Aberdaron yn batrwm yng nghefndir ei feddwl pan fydd wrth ei waith yn wardiau a labordai a glanweithdra ysbytai Lerpwl. Mae Aberdaron yntau, yn ei ffordd ei hun yn barod iawn i ganmol ei wŷr enwog ac i ymfalchio ynddynt, ac erys digonedd o'r rhuddin a'u cododd o hyd yn y bobl ddiymhongar sy'n ymladd gyda môr a daear i ennill eu bywoliaeth ac i roddi coleg i'w plant.

Mae afon Bodwrdda ac afon Cyllyfelin yn cyfarfod ei gilydd wrth y bont yn y pentref, ac yn croesi'r traeth i'r môr ar wely llydan. Ond nentydd culion ydyw llwybrau'r ddwy yn ôl i'r wlad, ac nid oes ffordd wastad i unrhyw gyfeiriad o'r pentref. Y briffordd sydd ar y dde ar ôl croesi'r bont, a dyma ffordd y bwsiau am Bwllheli. Gan ei bod yn dod yn ôl i Roshirwaun, gwell ei hosgoi a mynd i fyny'r allt serth ar y chwith heibio Pen-sarn a cheg y ffordd am gapel y Methodistiaid a'r Ysgol. Dylid troi'n ôl i gael cipolwg i'w chofio ar dawelwch y pentref a'r traeth o ben yr allt, ac yna ymlaen at Fin Afon lle mae'r ffordd yn fforchogi, ar y dde gyda godre Anelog ac ymlaen am Garreg, ac ar y chwith i Uwchmynydd. Ffordd gul, gysgodol ydyw'r ffordd am Garreg a chapel Carmel. O fewn cof diweddar y darfu hen deulu Carreg ac yr aeth y plasty yn dŷ fferm. Mae'n debyg mai hwy oedd y rhai olaf yn Llŷn i ddefnyddio a chario enw lle yn gyfenw. Yr oedd iddynt gysylltiadau â theuluoedd Cefnamwlch a Bodwrdda.

Mae ffiniau'r ardal yn bendant iawn yn Uwchmynydd, ac er na wêl y 'teithiwr talog' mohonynt, mae pobl Uwchmynydd eu hunain yn ymwybodol iawn ohonynt, ac yn barod iawn i gywiro'r anghyfarwydd a allai briodoli gŵr o ardal arall i'w hardal hwy. Nid unrhyw fath o gulni sydd i beri am hyn. Maent yn wahanol, a dyna'r cwbl. Nid yw'r diwrnod yn dechrau yn fore iawn yno, ond bydd yn mynd yn ei flaen i'r diwrnod wedyn yn aml iawn. Bu gan y Llu Awyr orsaf wylio ar ben Mynydd Mawr yn ystod y rhyfel, ac adeiladwyd ffordd goncrit bob cam i'r copa. Ar ôl y rhyfel cyflwynwyd y mynydd i'r Ymddiriedaeth Genedlaethol, ac y mae'n agored i'r cyhoedd bob amser. Er ei bod yn hawdd mynd i fyny mewn car, mae'n iachach ac yn fwy diddorol i gerdded. Cyn cychwyn gellid mynd i weld Ffynnon Fair yng nghysgod y creigiau ac o'r golwg yn nŵr y môr pan fydd y llanw yn uchel.

Ar ben Mynydd Mawr, wrth y cwt lle bydd Gwylwyr y Glannau yn cadw golwg adeg tywydd mawr, mae mesurydd gwynt yn chwyrnellu troi pan fydd awel ffres yn chwythu, a gall fod yn oer a bygythiol yno. Ond pan fo'n dawel, ymestyn patrwm y dyffrynnoedd a'r bryniau y tu ôl, ond cefndir pell yn unig ydyw ac y mae'n anodd sylweddoli bod cysylltiad cyfan rhyngddo a cherrig pen y mynydd. Môr sydd i'w weld oddi yma. Y dŵr gwyrdd yn troi ac yn ysgwyd, a'r clogwyni i lawr mor syth â phared tŷ. Llinellau'r teitiau fel llwybrau ysbrydion ar wastadedd yr wyneb mawr agored yn y dyfnderoedd, ac yn union ymlaen,—Enlli. Dim ond milltiroedd o fôr ac ynys ynddo oddi ar ben bryn ym mhen draw eithaf Penrhyn Llŷn. Ac eto, nid anghofir yr olwg ar Enlli o Uwchmynydd dros y Swnt.

PENNOD X

Y Ffordd o Lŷn

Dim ond un ffordd sydd i fynd o Lŷn heb ail-gerdded yr un llwybrau, a mynd i Enlli yw honno.

Torrai llafnau o haul trwy gymylau'r dwyrain uwchben Trwyn Cilan a Phorth Neigwl, ac yr oedd yn wag ym mhen y bws oedd yn mynd i Aberdaron a rhyddid i fynd i'r sedd flaenaf i gael edrych o gwmpas. Gwlad lom pen draw Llŷn, a'i hychydig goed wedi eu chwythu i grafangio o'r machlud at y wawr, a'i daear yn ffrwythlon mewn patrwm o glytiau lliw lle mae ffermwyr yn ei pharchu, ac yn ffrwythlon mewn toreth o ddrain a gwylltineb lle mae'n cael ei hanwybyddu a'i hamharchu. Yr oedd Bodwrdda yn dipyn o eithriad ar y chwith wedi ei guddio yn ei goed ei hun. Mynydd yr Ystum ar y dde, a llond ffenestr fawr tu blaen y bws o fôr a mynydd yn ymestyn o Ynysoedd y Gwylanod i ben Mynydd Mawr. Gydag ochr y mynydd, yn llwydlas yn y pellter, yr oedd Enlli i'w gweld fel darn pell o'r tir mawr.

Daeth mwy a mwy o'r môr i'r golwg, a'r tonnau yn dangos eu dannedd gyferbyn â Thrwyn Pen, lle'r oedd y llanw'n rhedeg. Y ffordd yma yr arweiniodd Esgob Bangor yr orymdaith o bererinion o rai miloedd o bobl i Aberdaron rai blynyddoedd yn ôl. Ond nid oedd lawer o bobl o gwmpas y pentref y bore hwnnw. Yr oedd yn rhy gynnar yn yr haf i'r gwyliau fod wedi dechrau, ac yr oedd y plant yn cerdded i fyny'r allt am yr ysgol yn ddigon hamddenol. Arhosodd y bws, wedi troi'n ôl rhwng y ddau westy nes ei bod yn amser cychwyn yn ôl am Bwllheli, a thrôi ambell un o'i gwmpas fel pe byddai'n meddwl a fyddai'n well mynd ai peidio. Daeth yr ychydig bobl oedd wedi cyrraedd yn y bws i'r traeth.

O Ben yr Odyn yr oedd cwch bach i'w weld yn mynd draw am Borth Meudwy, a sŵn y peiriant fel cacwn o'r pellter. Holodd rhywun tybed a oedd yn rhy hwyr, ond eglurodd gŵr byr

cydnerth ei bod yn ddigon buan ac mai croesi i'r borth i gyrchu'r
cwch mawr i'r traeth yr oedd 'yr hogia'. Rhaid oedd cael y llwybr
pren pwrpasol i'w le o'r tywod at y cwch, am nad oedd yn ddigon
agos i'r lan i'r teithwyr fedru mynd iddo heb wlychu. Ychydig
o deithwyr oedd am groesi, ac addawai'r ddau gychiwr yn
hyderus y byddai'n iawn, 'ond wrth fynd drwy'r hen deit yna'.
Yn aroglau melys y petrol oedd yn cynnau yn y peiriant, ac
aroglau heli a gwymon, cychwynnwyd allan.

Wedi mynd allan o'r bae ac ambell awel o wynt o'r môr
mawr yn chwythu, yr oedd bow y cwch yn clepian o don i don
nes bod lluwch o ddŵr mân yn gwlychu cefnau'r rhai oedd yn y
pen blaen. Ciliai'r pentref ac edrychai'n lân iawn dros y gwas-
tadedd dŵr. Cadwai'r cwch ei gwrs allan yn bur union er mwyn
osgoi nerth y cerrynt oedd yn rhedeg gyda'r trwyn, a chyn hir
daeth yr ynys i'r golwg wrth i'r cwch fynd allan. Edrychai
ymhell, yn domen lwyd yn y pellter. Ond wrth nesu ati, torrai
ei llwydni yn lliwiau bonheddig, o goch a melyn i lwydlas a
gwyrdd ar ochr serth y mynydd, a brown a du y creigiau yn
dywyll yn ymyl sglein wyneb y môr dan haul y bore. Gostegodd
y tonnau fel y nesâi'r cwch i gysgod y mynydd, a gellid bellach
anghofio'r holl hanesion am ddamweiniau a'r cychod a ddryll-
iwyd, a chân gynhyrfus Ieuan Lleyn i'r *Supply*, y cwch a gollwyd
pan oedd yn ymyl glanio ar yr ynys ym mis Tachwedd, 1822,

> Clywais waedd dros ddyfnfor heli
>   Trist iawn gri o Enlli oedd,
> Gwaedd uwch rhuad gwynt ysgeler
>   A mawr flinder môr a'i floedd,
> Gwaedd y gweddwon a'r amddifaid,
>   Torf o weiniaid—darfu oes
> Gwŷr a thadau—yn y tonnau,
>   Llynnau, creigiau, llanw croes.
>
>
> Y dydd olaf o fis Tachwedd
>   Oer ei wedd gan arw wynt,
> Un mil wyth gant a dwy ar hugain,
>   Y bu sain wrth'nebus hynt;

Aeth cwch esgud dan ei hwyliau,
   Cedyrn daclau, gorau gwaith,
O Borth Meudwy tuag Enlli,
   Hyd y lli rhuadwy llaith.

*   *   *

Hyd rhaff angor prin oedd rhyngddo
   Fo a glanio yn ei le,
Pan mewn cymysg derfysg dirfawr
   Trawodd lawr ar graig fawr gre. . . .

Dirwyn y gân ymlaen i gofio'r rhai a gollwyd ac i foesoli am ddylestwydd dyn.

Yr oedd gan y gwylanod ddiddordeb yn ein cwch ni, a llithrent yn osgeiddig i'w ymyl i gael golwg iawn arno. Ehedai ambell fulfran hir ei gwddf yn glos gydag wyneb y dŵr, a safai brân bicoch ar rimyn o graig, a'r Gwylanod Manaw bychain yn barablus ar y creigiau isel. Wedi troi Pen Cristin yr oedd y dŵr yn dawel a'r cwch yn llithro yn ddigon esmwyth i ddwyn i gof awydd Gwynn Jones am gael egwyl i droi ei gefn, 'ar wegi'r byd'. Ar ôl glanio yn y Cafn, aeth y teithwyr i ben eu helynt, ac aeth y cychwyr i bysgota.

Mae'r Cafn yn harbwr ardderchog i lanio, ac oddi yma y byddai'r hen bobl yn cychwyn i'r tir mawr pan oeddynt yn di-bynnu ar rwyf a gwynt cyn dod y peiriannau i yrru'r cychod. Yr oedd cymdeithas Enlli yn ddiddorol pan oedd yr hen boblogaeth yn byw yno. Ymfudodd y rhan fwyaf o'r hen drigolion o'r ynys yn 1926, a'r brenin, Love Pritchard i'w canlyn. Mae coron bres a regalia'r brenin ym mhlas Boduan, a'r 'hen bobol' yn prysur fynd yn brin, a mynd yn rhan o draddodiad sy'n mynd yn ei ôl ymhell iawn. Mor bell â chanu Meilyr,

Ac am ei mynwent, mynwes heli;
Ynys Fair firain, ynys glân y glain,
Gwrthrych dadwyrain; ys cain yndi.
Crist croes ddarogan, a'm gŵyr a'm gwarchan
Rhag uffern affan, wahan westi.
Creawdwr a'm crewys a'û cynnwys i
Ymhlith plwyf gwirin gwerin Enlli.

Ystyrid tair pererindod i Enlli gystal â'r bererindod i Rufain ei hun, a bu bri mawr ar fentro peryglon y Swnt i geisio'r tawelwch a bodlonrwydd y sicrwydd oedd gan deithwyr y blynyddoedd cynnar hyn. Ceir digonedd o glod i'r ynys mewn cywyddau, a dywed Gerallt Gymro amdani,

> Mae gan yr ynys hon, naill ai oherwydd iachusrwydd ei thywydd, neu oherwydd rhyw wyrth a haeddiant y seintiau, y briodoledd ryfeddol hon,—mai y rhai hynaf sydd yn marw gyntaf, gan fod afiechyd yn anghyffredin, a phrin y mae neb yn marw ond o henaint mawr.

Pan ddifethwyd y mynachlogydd i lenwi coffrau'r brenin yn amser y Tuduriaid, aeth mynachlog Enlli i ganlyn y llu a ddinistriwyd. John Conwy oedd yr abad ar y pryd, a cheir cyfeiriad diddorol ato yn Llyfr y Pererinion yn Rhufain yn dweud iddo gyrraedd gydag ugain o bererinion, ac i un ohonynt, oherwydd gwaeledd, orfod aros yn y gwesty am bythefnos. Pan ddifodwyd y fynachlog darfu cyfnod godidocaf hanes yr ynys. Rhoddwyd hi yn anrheg i Siôn Wyn ap Huw o Fodfel am iddo gario baner yr Iarll Northumberland mewn brwydr, ac yn ystod y blynyddoedd wedyn, bu'n noddfa i aml fôr-leidr a gefnogid gan rai o deuluoedd Llŷn. Ond ar ôl codi'r tai braf a'r adeiladau hwylus ar y ffermydd gan stad Glynllifon, daeth llawer o rin y gorffennol yn ôl i Enlli. Tystia Pennant am y morwyr yn aros ar eu ffordd wrth nesu at yr ynys ac yn diosg oddi am eu pennau ac yn gweddïo. Cofiai Mary Roberts, Morwel, a dreuliodd y rhan fwyaf o'i hoes yn Enlli, am ei blynyddoedd ar yr ynys gyda'r rhai hapusaf o'i hoes.

"Pawb yn ffrindia efo'i gilydd yno," meddai, "a phawb yn barod i helpu lle byddai angen. Mi fydda f'ewyrth yn sôn am steddfod fydda yn cael ei chynnal yno a phobol yn dwad iddi hi efo llonga, ond y Cyfarfod Pregethu oedd mewn bri yno pan oeddwn i'n hogan. Dwrnod mawr fydda dwrnod lladd mochyn, a phawb yn cael cig ffres i swpar. Ond dydd Sul oedd y dwrnod mwya yn Enlli. Pawb yn gorffan yn gynnar nos Sadwrn wedi paratoi popeth yn barod, a phob llyfr a phapur, ond y Beibil a'r Llyfr Emyna, wedi eu rhoi o'r golwg. Mi 'roedd dydd Sul yn sanctaidd yn Enlli."

44. Aberdaron.

45. Enlli o'r tir mawr.

46. Glanio yn y Cafn yn Enlli.

47. Y Fynachlog a'r Groes yn Enlli.

Cofiai Mary Roberts y diwygiad yn dod i'r ynys yn 1905.

"Wn i ddim pa bryd y daethon ni o'r capal y noson honno, ond yr oedd hi wedi bod yn storm go fawr ar lawer un yno, ac er bod dagrau'r ymdrech ar wyneb rhai ohonyn nhw, yr oedd pob enaid yno yn ddiogel yn yr hafan ddedwydd, diolch Iddo."

Aeth ymlaen i ddyfynnu pregethau a gweddïau'r diwygiad o'i chof, a chyn ateb y cwestiwn,

"Leciech chi fynd yn ôl i Enlli, Miss Roberts?" edrychodd trwy ffenestr y gegin tua gorwel y môr, a dweud yn ddistaw, "Blynyddoedd hapusa f'oes i 'machgan i," a'i hiraeth yn gwneud ei llygad yn loyw.

Hud a rhamant yr ynys a gydiodd mewn beirdd fel Gwilym R. Jones, pan welodd gau o'i chwmpas,

> . . . orfoleddus fôr
> i'w gwarchod mwyach rhag dygyfor blin
> y llafar li lle'r heidia dynolryw:
> a bellach rhyngddi hi a Phenrhyn Llŷn
> Ymnydda eiddigeddus sarff y Swnt.
> Gadawyd hithau'n unig fel y lloer
> i frudio yn ei heddwch hen ei hun,
> ac nid âi tua'i glan na'r dydd na'r nos
> ond meirch yr eigion ar daranllyd branc
> ac adar drycin fel ysbrydion coll
> yn rhusio rhagddynt ar adenydd trwm . . .

Crwydrodd G. J. Roberts i'w gorffennol,

> Mae paladr y machlud ar ysgwydd y Parwyd
>   A'r nos yn angori wrth Enlli,
> Tynnu ei chwch i dir rhwng ceulannau'r Cafn
>   O grafangau'r Swnt a'i genlli,
> A chael yno osteg ei doe uwch dôl
> Heb orfod consurio un awr yn ôl.

Erbyn un ar ddeg y bore hwnnw yr oedd y gwynt wedi gostegu a'r haul yn boeth. Yr oedd pob man yn lân ac yn glir ar y ffordd i lawr i gyfeiriad y goleudy, ond y tu mewn i'r buarth agored yr oedd taclusrwydd fel taclusrwydd bwrdd llong. Gwelyau blodau di-chwyn, llwybrau concrit wedi eu sgubo yn

L

lân, a gwellt y lawntiau fel brws. Codai tŵr crwn y goleudy ei hun
yn uchel uwch ben nes bychanu yr holl adeiladau eraill oedd o'i
gwmpas, a gwneud i wal frics uchel y buarth edrych yn isel. Yr
oedd ceidwad y goleudy a'i ddau gynorthwywr,—un yn fachgen
o Gaergybi—yn cael te ddeg a rhoi'r cig yn y popty at amser
cinio. Sais caredig iawn o Sunderland oedd y ceidwad, ac ar ôl
dangos y peiriannau i weithio'r corn niwl a'r radio a gysylltá'r
ynys â Chaergybi, aeth i'r goleudy ei hun, ac i fyny'r chwech
ugain gris i'r 'lantarn', yr ystafell gron o wydr gloyw, a'r lamp
yn y canol wedi ei glanhau ac yn barod i'w golau, a'r chwydd-
wydr anferth heb un llwchyn arno yn troi wrth bwysau fel
pwysau cloc ar wely o arian byw. Arweiniodd y ceidwad y
ffordd allan i'r platfform uchel, ac yno, wrth edrych i gyfeiriad
y mynydd, dywedodd mai Enlli oedd yr orau o bob craig y bu
ef arni yn ystod ei oes . . .

Yn ôl heibio'r Cafn ac i fyny i gyfeiriad y gogledd. Yr oedd
cegin Tŷ Pella, lle mae William Evans a'i deulu yn byw, yn llawn
o'r ynys, ac mor daclus â phin mewn papur. Yr oedd gan William
stôr o straeon ac atgofion am yr ynys. Digwyddiad pwysicaf ei
yrfa ef fel ffermwr yno oedd dod â thractor drosodd yn y cwch
o Aberdaron. Bu'n pryderu tipyn, meddai, cyn cymryd ffarm ar
Enlli, ond erbyn hyn nid oedd yn edifar o gwbl ganddo. Hwy
ydyw'r unig deulu o Gymry ar yr ynys erbyn hyn, ac y maent
yn gweld eu hunain yn byw mewn lle braf iawn. "Blynyddoedd
gora 'mywyd i ydyn' nhw wedi bod," meddai William Evans . .

Dyn ifanc o Gaint, a barf ddu drwchus ganddo, a llais meddal
caredig, yw Reg Arthur sydd yn edrych ar ôl y Canolfan Gwylio
Adar sydd wedi ei sefydlu yn y ddau dŷ sydd wrth ymyl yr ysgol.
Yr oedd yno nifer o fechgyn o ysgol yn ne Lloegr yn aros am
wythnos i astudio'r gwaith a wneir yno. Eglurodd Reg Arthur
y mapiau a'r siartiau mawr oedd ar furiau'r ystafell. Modrwyo
adar er mwyn medru dilyn eu hynt a'u cwrs yn ystod tymor
ymfudo ydyw un agwedd bwysig ar y gwylio. Cedwid cyfrifon
manwl o bob mathau o bethau diddorol eraill hefyd, fel amser
bwydo, amser nythu a nifer y cywion. Anfonir yr ystadegau i
Rydychen i'w cadw a'u cymharu gydag ystadegau o ganol-
fannau eraill. Bydd llawer o adar yn mynd yn erbyn gwydrau'r

goleudy yn y nos ac yn hawdd eu dal i roi'r fodrwy bach am eu coesau. Yr oedd yno drapiau hefyd i ddal yr adar—twneli hirion o weiren yn mynd yn gulach ac yn feinach nes gorffen yn focs bach y gellid cau caead arno ar ôl i'r aderyn fynd i mewn. Yr oedd Enlli'n lle ardderchog i'r gwaith meddai Reg Arthur, ac un rheswm oedd mai dyma'r darn cyntaf o dir a welai rhai o'r adar oedd yn dod dros y môr, a'u bod yn falch o weld tir o unrhyw fath yn eu blinder ar ôl ehedeg cannoedd o filltiroedd. Rheswm arall oedd distawrwydd a thawelwch yr ynys. Ac yr oedd yn dawel iawn yno o hyd, er bod William Tŷ Pella wedi cael tractor.

Carreg ydyw'r fferm ar y chwith. Mae yng nghysgod ysgwydd y mynydd ac yn wyneb y môr. Yr oedd morloi yn torheulo ar y creigiau yr ochr arall i Borth Solfach, ac yn galw ar ei gilydd fel cyfarth hapus cŵn yn y pellteroedd. Lled cae o lwybr oedd i lawr at y tŷ, a'r gwair yn sych grimp barod i'w gario ynddo, ac yr oedd tractor Tŷ Pella ar ei ffordd i'r cae. Yn y tŷ yng Ngharreg, yr oedd Brenda Chamberlain, yr arlunydd, yn brysur wrth ei gwaith. Safai nifer o ganfasiau newydd eu gosod ar fframiau allan yn yr ardd yn sychu yn yr haul. Deuai chwa oer braf o awel i'r ystafell fyw oedd â'i ffenestr fawr yn wynebu'r cae gwair. Muriau gwynion a darluniau mawr mewn ocyr arnynt. A llawr glas golau. Atyniad mawr yr ynys i'r arlunydd, meddai, oedd y distawrwydd a'r llonyddwch, ac yn fwy na dim arall, y golau mawr gwyn a'i adlewyrch o'r môr yn peri i bethau edrych yn lân ac yn newydd. Daw niwl gwyn tenau o'r môr ambell dro, ond ni fydd byth yn gadael haen o dduwch a baw ar ei ôl.

Dyna drigolion Enlli heddiw. Mary Roberts, yn Aberdaron ac yn cynrychioli'r 'hen Bobol', yn dweud mai ei dyddiau yn Enlli oedd blynyddoedd hapusaf ei bywyd. Ceidwad y goleudy, Bob Anderson, yn byw yno heddiw ac yn dweud mai dyma'r ynys orau a welodd. William Evans yn dweud mai dyma flynyddoedd gorau ei fywyd. A Brenda Chamberlain yn byw yno am fod yno olau mawr gwyn. . . .

Ymlaen eto a'r ffordd yn codi yn rhiw esmwyth i fyny'r llethr nes cyrraedd y capel a'r murddun sy'n olion o'r hen fynachlog. Yr oedd y diwrnod, er gwaethaf awel y bore, wedi dirwyn i brynhawn llonydd heulog. Aeth William Tŷ Pella â llwyth mawr o wair yn tincian o'r cae. Dechreuodd y môr ddisgleirio tua'r Gorllewin dros Borth Solfach. Cyn hir byddai llafnau mawr o oleuni gwyn yn sgubo o'r goleudy trwy dduwch y nos, a byddai'r adar yn cyrraedd ac yn cychwyn. Yr oedd cysgod y groes Geltaidd fawr ger y fynachlog yn ymestyn yn hir ar wyneb y ddaear. Daeth llawer taith i ben yng nghysgod croes mynachlog Enlli.

MYNEGAI

PERSONAU

LLEOEDD

CYFFREDINOL